段取り力

「うまくいく人」はここがちがう

齋藤 孝

筑摩書房

本書は二〇〇三年十一月、筑摩書房より刊行された。

段取り力――目次

第一章　生産性の高いプロの「段取り力」――23

第四章 「段取り力」とは何か――155

第五章「段取り力」の鍛え方――187

本文イラスト 郷坪浩子
編集協力 辻由美子

プロローグ

「段取り力」とは社会を生き抜く力

特別な天才や芸術家を除けば、私たちの間にそれほど大きな才能や能力の差はない。ただ段取りのいい人と悪い人がいるだけだ、と私は思う。普通は、何かに失敗したとき、自分には才能がないとか、能力がないと言ってしまう。しかし**才能や育ち、環境のせいにしてしまうと改善のしようがない。改善のしようがないから、努力もしない。だが「段取りが悪かったからうまくいかないんだ」と考えることで、対処法が違ってくる。**これが重要なポイントだ。

勉強を例にとっても、段取りが悪いことに気づくか気づかないかで、上達に雲泥の差が生まれてしまう。試験の点数が悪いと、自分の頭が悪いとか「この科目は自分に向いていない」という方向へ持っていってしまうことが多い。しかし試験ができなかったのは、準備の段取りが悪かった、あるいは試験の時間配分の段取りが悪かったのだと冷静に考えられるようになるとかなり上達していく。

家事や仕事をきちんと仕込まれた経験のある人は、「段取り命」ということを知っている。要するに段取りという言葉があることによって、自分自身を責める度合いが減ってくるのだ。自己否定してしまうと、次のエネルギーがわかないが、「自分に力がなかったのではなく、段取りが悪かっただけだ」と考えることで、自己肯定を維持したまま改善できる。日本人は反省するのが好きだ。人間は反省すればうまくいくと考えているが、自分の人間性全体について反省しなくても、段取りを組み替えれば現実は変わっていく。

このあたりの発想の転換が重要だ。「段取りが悪かったから、うまくいかなかったのだ」と考える癖をつけるために「段取り力」というコンセプトは非常に有効だ。**「段取り力」という考え方や言葉を獲得すると、いろいろな活動や局面もすべて段取りという切り口で見ていくことができる。段取りは全部の活動にあることが分かってくるので、全然種類の違う活動をつなげて見ることができる。**それが「段取り力」という言葉の効用だ。たとえば料理を作ることと、論文を書くことは全然違う活動に見えるが、「段取り力」という包丁で切っていけば共通するものが浮かび上がってくる。この概念のありがたさが分かれば、生きていくことに自信が持て、上達も早いだろう。

そもそも「段取り」という言葉は、職人言葉に近く、実際的な場面で使われることが多い。彫刻のような芸術作品を作る場合でさえ、段取りが大事だと彫刻家は言う。芸術的才能は、もしかしたらほんの少しだけあればいいのであって、あとは段取りを覚えていくだけでかなりの線までいけるのではないか。段取りを覚える力は努力次第で向上させることができる。芸術でさえ才能ではなく「段取り力」で決まるのだから、他の活動はもっと「段取り力」の働きが大きいだろう。

「段取り力」さえ身につければ、すべての活動が楽になるという発想は面白い。自分の可能性を肯定でき、また失敗に対して冷静に対処できるようになるに違いない。

自分の中の「段取り力」に気づくことが出発点

この「段取り力」という話をいろいろなところですると、自分には「段取り力」がないから身につける方法を教えてもらいたいと言う人が多い。「私は『段取り力』があります」と胸を張って言う人にはあまりお目にかからなかった。

この本では「段取り力」とはどういうもので、どうやったら獲得できるかを述べていくが、しかし本題は自分の中にある「段取り力」に目覚めることだ。自分の中に本当はちゃんと「段取り力」があるのに、それに気がつかず、自分は段取りが悪いと決めつけてしまっている例がけっこう多い。段取りにもいろいろあって、自分の得意なタイプの段取りが必ずあることに気づくことが最初のステップだ。

たとえば、森鷗外のように非常にきちんと整理整頓して仕事をするタイプがいるかと思えば、一方で無頼派作家の坂口安吾のように、いろいろなものを部屋中にまき散らして小説を書くタイプもいる。それぞれ生産性が上がっており、素晴らしい作品をたくさん残しているということは、2人の段取りはそれぞれにいいと言える。

鷗外の場合は外側を整理して、きちんと計画的にやる、そういう「段取り力」がある。それに対して坂口安吾は、部屋は乱雑だが、その乱雑さが小説作法だ。散らかっていたほうが自分のエネルギーがわくというのであれば、乱雑にしたほうが効果的なわけである。

羽生善治という将棋の天才がいるが、彼は若い頃は旅館やホテルでなかなかリラックスできなかったらしい。将棋の対局はホテルや旅館で行われるが、自宅ではないのですごく疲れてしまい、対局にも影響したという。それをどうやって解決したかと言うと、まず旅館に着いたら、荷物を全部部屋にぶちまけて、自分の家のように散らかす。すると自分の空間のような気がして、リラックスして対局に臨めるそうだ。

羽生の場合、まず旅館で部屋を散らかすのが「段取り力」だ。整理整頓できなければ段取りが悪いというものでもない。職場でもよくデスクの上に山のように書類が積み上がっているが、どこに何があるかちゃんと分かっていて、ミスがなく、仕事が速い人がいるのと同じだ。

『坂口安吾全集11』(ちくま文庫)より
林忠彦氏撮影(1946年、蒲田安方町の自宅で)

そういうものも含めて、**自分に合った段取りのスタイルを見つけることが、本書の「段取り力」の一番大きな意義だと思う。**段取り一般はうまくできるが、自分に合った段取りを見つけていないのは不幸だ。一般的な段取りを身につけるのではなく、自分のやり方を活かすような「段取り力」を技化《わざか》するのが、本書の最終地点だ。

そのためには、まず最初の段階として、自分の中の「段取り力」の存在に気づくことが大切だ。仕事の段取りが悪いと思っている人でも、何か他の段取りがうまいことはある。自分の得意なことに関してはすごく段取りがいいのに、それは当たり前のこととして気づかない。

家庭的なタイプで料理は上手だが、仕事はうまくいかないという人は、料理の「段取り力」を持っているが、それを仕事につなげる回路がないということだ。自分の得意なものをモデルにして、苦手なものを克服していくのが、上達のコツだ。自分にはある領域の「段取り力」はあるといった場合、その「段取り力」をきちんと見つめて、他のものに応用していけばいい。すべての領域の別々の「段取り力」を全部手に入れることは不可能だし、方向として間違っている。そうではなくて自分の中にある「段取り力」に気づき、それを増幅していくことが最初のスタートだ。

マニュアルと「段取り力」はちがう

マニュアルと「段取り力」とはちがうので、ここで説明しておきたい。私たちは

「マニュアル人間」と聞くと悪い印象を持つ。ただ、マニュアルは本来は手順という意味だから、これが分からない人間より、分かった人間のほうがいいに決まっている。しかしなぜ「マニュアル人間」が使えない人間の典型として言われるかというと、言われたことしかできないからだ。

「マニュアル人間」は自分で組み立てたり、自分で手順を決めることができない。だから、状況に応じて臨機応変に行動することができない。しかしマニュアルを作った人間は素晴らしい。手順や段取りを普遍化させていくわけだから、素晴らしい「段取り力」の持ち主である。つまりマニュアル通りに動くということと、マニュアルを作る側になるというのは、似ているようで雲泥の差があるのだ。

今回、取り上げている「段取り力」には、段取りを自分で組むことが含まれている。段取りという古くさい言葉をあえて使ったのは、その言葉の中に自分で組むという動きが含まれているからだ。マニュアル通りに動くこととはまったく意味が違う。

ハウツー本も同じだ。世の中にはたくさんのハウツー本が出ているが、その通りにやっているだけでは「段取り力」はつかない。もちろん何もないよりましな気がするが、ハウツー本をいくら読んでも、本当のところが伝わりきらない。本当のところとは、そのポイントに気がついてマニュアルにまとめた著者が持っている力のことである。ハウツー本を読む側になるか、書く側になるかは決定的な違いだ。

私は大学で教えているが、学生たちがよくマクドナルドやケンタッキーフライドチキンでアルバイトをしているので、授業の一環として、その段取りを他の学生に教えるプレゼンテーションをやってもらうことがある。ケンタッキーフライドチキンにおけるチキンの揚げ方とか、マクドナルドにおけるハンバーガーの包み方などを簡潔に説明してもらうわけだ。

すると、教えるほうも教えられるほうも短時間で伝授が可能である。アメリカナイズドされたファーストフードのチェーン店には、その日入ったアルバイトでも対応できるよう、優れたマニュアルが存在するからだ。だが、その経験は何か他のことをするときの原動力にはならない。バイトはたくさんしたが、そのときの経験はマニュアル通りにしただけなので、本当の力がついたわけではないのだ。

マニュアルから学ぶとしたら、そのマニュアルがなぜそうなっているのか、意味を考えたり、自分以外の人のマニュアルを読み取ることだろう。たとえば店全体を動かしている店長の動きを見て与えられた指令を読み取ることができれば、その人はすぐに店長になれる。**ある活動の裏にあるマニュアルを読み取れるということは、自分でマニュアルを作る能力があるということだ。**マニュアルを自分で作る、すなわち段取りを組む側になってしまえば、本当に力がついたことになる。やがて店長になり、ゆくゆくは独立することも可能だろう。

マニュアルが悪いのではない。そのマニュアルを作った人の意図が分かるように、あるいはマニュアルを自分が作れるレベルにまでなればいいのだ。そのような方向を目指せばマニュアル人間と批判されているタイプの人でも、ひと皮むけて、もっと「段取り力」のある創造的な人間に脱皮できるきっかけがつかめるだろう。

「段取り力」は他に応用することができる

料理は段取りが悪いと、結果としてまずくて食べられないものができ上がってしまう。ある決定的な素材が欠けていれば、料理にならない。おいしい、おいしくないという感覚は人間にとって基本的なものだから、その感覚によって毎日厳しくチェックされている能力が「段取り力」だとしたら、料理が上手だということはおそらく何か他のことをするときにも大変な能力を発揮できるだろう。

自分は料理は得意だが、デスクワークはできない。家事は得意だが、会社勤めはできないなど、家事と仕事を分けて考えがちだが、専業主婦だから外へ行ったら何もできないと考えるのはおかしい。料理ができる「段取り力」を政治や歴史を動かすような壮大な「段取り力」に持っていくのは飛躍としても、料理のスケールの「段取り力」を活かした仕事の仕方もあり得る。

「段取り力」にはスケールがあるという考え方を持てば、自分はどのスケールの段取りが得意なのかが分かるので、仕事においても、やれる仕事、得意な領域の幅が広げやすいのではないだろうか。

才能がないというのは、いくらやろうとしても素材が悪すぎてどうにもならないという状態のことである。しかし「段取り力」がないだけなら、やり方次第で何とかなる。そういう体験が一つでもあれば、その成功体験を増幅して可能性を広げていくことができるだろう。料理ならできるという人は、ほかのことも料理と同じ感覚でやってしまえばいいのである。

このように「段取り力」という言葉は、領域に限定されない言葉である。何かで培った「段取り力」は他に移すことができる。これが非常に大きな自信になってくる。

一芸に秀でた人は他のことをやっても大丈夫だ、とよく言われる。つまり一芸に精通すると、その内部の段取りが分かってきて、物事がうまくいくための段取りはこういうふうにするんだということが、身に染み込んでいるので、他の事にもそれが応用できるのだ。

「段取り力」を鍛えた経験がまったくない人は、何かに臨むときの段取りのイメージがつかめない。**段取りのイメージをつかんだ上で入っていくのと、そうでないのとでは効率に大きな差ができてしまう。**

この本で強調したいのは、まず「段取り力」という言葉に目覚めてもらうこと。そしてその「段取り力」というイメージは、普通考えられているものより、ずっと広いとらえ方ができるということだ。Aという人には「段取り力」があり、Bという人には「段取り力」がないという切り方ではなく、自分に得意なタイプの「段取り力」ならある、ということに気づいてもらえれば、非常に前向きな気持ちになれるだろう。

第一章

生産性の高いプロの「段取り力」

1 トヨタに見るコストパフォーマンスが高い「段取り力」

世界的なターム「KAIZEN」

まず初めに、優れた「段取り力」の手本を取り上げ、その「段取り力」を見抜いていきたい。繰り返し段取りを見抜く訓練をしているうちに、その優れた段取りが技化《わざか》され、自分の「段取り力」を鍛えることになる。とくに、成功例と言われるものを見るときは、「段取り力」の観点から分析する習慣をつけておくことが大切だ。

世界を代表する自動車会社トヨタが、原価を2分の1にすることを目標に、改善を重ねた過程が『トヨタ式改善力』（若松義人・近藤哲夫著・ダイヤモンド社）に描かれている。トヨタの生産方式は、現場に行くたびに発見される無駄を省いて、段取り替えをするやり方だ。無駄をなくして流れがよくなった後に、また現場に行ってみると違う無駄が見えてくる。行くたびに新たに基準を設けて、無駄を省くのがトヨタの「改善」のやり方である。

消化する項目を固定化してしまうと、一回改善すれば終わりになる。しかし、トヨタのやり方でいけば、無駄は無限に生まれてくる。「ムダは形を変えて現れる。ムダは進化する」とこの本には書かれているが、一度無駄をなくしても、無駄は形を変えて現れるから、進化した無駄をさらに摘み取っていくやり方を、トヨタでは実践しているのだ。これを繰り返していくことによって、より優れた環境にブラッシュアップしていくのがトヨタの「改善」方式で、このやり方は「KAIZEN」というローマ字で世界的なタームになっているほどだ。

段取りは一度に作ってしまうという考え方もないわけではないが、段取りを組むためには経験知が積み重なっていなければならない。経験知はどうやったら積み重ねることができるのかといえば、物事を見るときに「段取り力」という視点を導入することによって得られる。

もし、段取りがいいか悪いかという視点を持っていなければ、トヨタの工場を見ても小学生の社会科見学にしかならないだろう。「へえ〜、こんなふうになっているのか」で終わってしまう。**ところが「段取り力」という観点で見れば、Aという工場と**

Bという工場の段取りの違いが分かる。気づいたことは確実に経験になっていくから経験知が増えていく。

その気づきがどこから来るのかというと、そういう視点でものを見ているからだ。絵画を見るとき、知識は重要だ。知識が邪魔して名画が味わえないということはない。むしろいろいろな文脈を知っていたほうが、絵画の奥行きが分かるだろう。

物事を見るときも、「段取りを見る」という視点を導入すれば、見えてくるものがたくさんあるはずだ。それが経験知となって積み重なってくる。その経験知は視点が非常にクリアだから、あたかも整理された箱のように、たくさん経験を積み重ねていくことができる。その観点でいいものをたくさん見ると、自分への取り込みが早くなってくる。

トヨタのシステムにもそれが現れている。

「ある工程の改善をする。これはどこの会社もやるだろう。トヨタ式は、それで終わらない。その改善を他の生産ラインや工場に水平展開する。そのままの改善を試みるところもあれば、それを上回る改善案を考えようとするところもある。

トヨタはこれをグループ全体でやっている。あるグループ企業が、段取り替えの素晴らしい改善を実施したとすれば、その情報はすぐ知らされる。他のグループ会社は、それをそっくり真似るのではなく、なんとか上回ろうと知恵を絞る。水平展開どころか、改善案のスパイラルアップが風土として当たり前のように根づいている。」（p82）

つまりあるグループで段取り替えをして、流れがよくなると、それが即座に他の部門に波及するのだ。しかもただ同じことをやるのではなく、業種の違う部門では違ったものにアレンジして活かしていく。改善案がらせん状にアップしていくスパイラルアップが起こり、グループ全体のレベルが上がっていくのだ。

すでにある段取りをアレンジする

「段取り力」の重要な要素に、アレンジして使う力がある。「段取り力」とはそもそも領域を超えても通用するものである。まったく同じ仕事のものしか段取りが使えないのであれば、非常に狭い。**しかし少し変えれば、自分の領域にも通用するのではないかと発想するのが、「段取り力」のうまい活かし方だ。**

拙著『「できる人」はどこがちがうのか』の「3つの力」であげた、真似て盗む力には「段取り力」が深く結びついている。真似て盗む対象はたいがいは段取りだ。段取りを盗むとは、技を盗むことそのものである。しかし真似て盗むといっても、ほとんどの場合、そのまま自分に引き写すことはできない。自分に固有の文脈にアレンジできて初めて技を盗んだことになる。アレンジして取り入れる点が、まさに「段取り力」につながっている。

身体運動で言えば、自分の肉体的な資質が文脈である。自分の身長、体重、筋力、あるいは何らかの運動経験などの文脈が積み重なって、自分の肉体が構成されている。新しいスポーツを始める場合は、そこに固有のアレンジが必要だ。たとえばテニスをしていた人が卓球をすると、振りがテニス風に大きくなってしまう。そういう文脈の人が卓球で上達するためには、球を卓球台という小さな枠に入れていくための、その人特有の練習を段取りに組み入れていかなければならない。

練習メニューの組み方は、自分の持つ文脈を理解していれば立てることができる。技をそのまま真似るのではなく、外から持ってきたものをアレンジしたほうがうまくなるし、独自性も高くなるのだ。トヨタでは、機械も自分たちで直してしまう。「改善をするには、自分たちで機械や設備をいじれる能力が重要になる。なにか問題が生じたり、改善案を思いついたとして、いちいち設備メーカーの人を呼んでいては時間もかかるし、コストもかかる。その日の問題はその日に片づけるのがトヨタ式だ。

共立金属工業の坂口政博社長は文科系の出身でありながら、たいていの改善は自分でやってしまう。『鉄を切って、簡単な溶接ができればたいていの改善はできますよ』とこともなげに話す。社内で機械をいじれる人材を育てるのも大切だ。」（p73）

つまりトヨタ式とは、機械にいろいろな工夫を凝らして使いやすくすることも含んでいるのだ。普通は機械に仕事を合わせる。だが、トヨタではむしろ仕事の段取りを優先させて、機械をそれに合わせる。しかもいちいち機械を買い替えるのではなく、今ある機械を溶接して、工夫を加え、使いやすいように改善していく。機械とは固定化した機能のものであるが、トヨタではその発想が違うのだ。

納期を設定すると無駄がなくなる

さらにトヨタ式の発想はすごい。

「メーカーの人が、部品がどこにあるかを捜し回ったり、伝票を書き写すといった作業について、『これらの作業は付加価値を生みませんが、仕事を進めるうえで必要な作業かもしれません』と言っていた。こうした意識では改善は進まない。」（p73）

付加価値を生まない作業は無駄と認識する、というのは身もふたもない言い方だが、鋭いところをついている。部品を捜したり、伝票を書き写す作業は付加価値を生まないが、必要な作業だと思っているから、普通は働いた気になってしまう。しかし稼いではいない。**区別すべきは働いているかどうかではなく、稼いでいるかどうか、付加価値や利潤を生んでいるかどうかである、**という意味だ。

ほとんどの場合、そこで勘違いが起こっている。自分は働いているつもりでも、その働きによって果たして利潤が生まれたのだろうか。企業では、自分の年収の3倍の利益をあげなければ、雇っている意味がないと言われる。会社を運営するためにはコストがかかっている。社員は自分がもらう給料の3倍の利益を稼ぎださないと、給料分の働きをしたことにならないのだ。「あなたは1カ月に給料の3倍の利益をあげているか」と問われた時、果たして自分が「はい」と言えるのか、という危機意識を当たり前に持つのがトヨタ式のやり方である。

トヨタ式システムの提言の一つに納期主義がある。今まではあらかじめ大量に生産し、倉庫に保管しておき、注文に応じて出荷していた。しかし大量生産、大量消費の時代は曲がり角に来ている。従来のやり方では危険な在庫を抱えることになるだろう。今は注文が来たときだけ、納期にぴったり間に合うよう必要なものを作ってそろえるのが、効率のいいやり方と言える。

とにかく無駄を作らない。在庫を多く抱えないやり方が重要だ。毎日同じものを大量に作っていると、働いている気になるが、在庫として残っていくだけだから、稼いでいることにならない。それどころか原料費を使って、倉庫を占拠していることを考えると、むしろマイナスかもしれない。**だから仕事のないときはじっとしている。注文があってから、納期に間に合わせるように動くことに全力を傾ける。そこにより一層優れた「段取り力」が必要とされるのだ。**

トヨタの納期主義は、「段取り力」の非常なヒントになるだろう。予備を大量に作っておいて、その中からピックアップして総合するやり方と、何かの要求に対して、必要最小限のものだけで作るのとでは思惑が違う。

文章を書くのも同じだ。慣れていない人は、力んでしまっていろいろなものを調べてしまう。大量に部品を作っておけば、なんとかなるだろうというやり方である。しかし、実際に書こうと思った時は在庫ばかりだ。コピーが山ほどあるが、結局、使ったのはごく一部の資料だったということが起こり得る。すると山ほど調べ、働いたと思っていた時間の多くは無駄になったわけである。

慣れていない人ほど、回り道をしてしまう。要するに段取りが悪いというわけだ。しかし自分が目指す最終形があって、要求される提出期限、すなわち納期があれば、納期から逆算して大失敗がないよう主なところを押さえていく。そのために倉庫の隅に眠っているような、あるいは図書館の隅に眠っているような資料は後回しにして、必要な資料の順位を決めていく。そうやって一応の製品に仕上げていく。

論文を製品と考えれば、無駄をなくしていく作業は生産的だ。創造的な仕事とは、実は優れた段取りの中から生まれてくるのだ。頭の中ですっきりと段取りができていないと、クリエイティブな仕事に入れないのである。クリエイティブな仕事とは、付加価値を生む仕事だ。**新しい価値が生まれるところにエネルギーを注ぐべきであって、価値を生まない下準備のところでいくら頑張っていても結果に反映されないのなら、**

仕事とは言えない。

トヨタの生産様式は非人間的であり、クリエイティブではないと言う人もいるが、それは逆だ。あるものを仕上げるために徹底的に無駄を省けば、その余ったエネルギーをクリエイティブな活動に注ぎ込める。ヴィジョンがしっかりしていて段取りがクリアに見えていれば、原材料の仕入れに無駄がなくなり、在庫は減る。無駄なものを仕入れる時間とお金を省いた分、品質向上と納期厳守に力を集中できるわけだ。品質を落とさない、納期を守る、コストは抑えるというこの3つをそれぞれハイレベルに保つことができたのは、段取り替えが行われたからだ。

この考え方は他の仕事をするときにも役立つ。**納期という考え方は非常に有益だ。いつまでに終わらせなければいけない、という期限なしには改善は難しい。納期があることで初めて他のことでも無駄を減らし、ブラッシュアップしていくことができるのだ。**

納期とは時間的制限だ。時間制限がない作業において段取りがよくなるはずはない。まずは上手な時間制限を設けるのが、段取りを組むための段取りである。

簡単にはできそうにない目標を設定する

最近、コストパフォーマンスという言葉がよく使われる。パフォーマンスとは実際にあげた結果・効果のことだ。コストパフォーマンスは効果に対して、どれだけのコストがかかっているかということだ。パフォーマンスに対するコストの割合で見ていくから、莫大なコストをかけてかなりのパフォーマンスを得るよりも、非常に安いコストで、中の上程度のものを得るほうがいい、という考え方が生まれる。品質も重要だが、コストパフォーマンスも段取りを組む上で重要になる。

無限に時間とエネルギーがあるという考え方は学者に多い。一つのテーマに20年取り組んでいたりすると、ほめられるのがいい例だ。だが本当にできる学者は、それほど悠長ではない。新しいテーマを見つけ、どんどん加速していく。あるものをやっていたら次々と課題が見えてきて、その結果あるテーマに関して20年追っていたということになる。ダラダラやっていた20年ではない。ブラッシュアップしながら、コストパフォーマンスをよい形で追求した結果での循環だ。創造性がある。

『トヨタ式改善力』で面白かったのは、最初から原価を2分の1に設定したことだ。普通は原価を10%あるいは20%カットあたりから始める。そのためにいろいろな案が細かく出てくるが、実際にやってみると、10%、20%でも、なかなかカットするのは難しいらしい。

これは『仕事学』（三笠文庫）の中で稲盛和夫が紹介しているそうだが、3割値下げするのに悩んでいる社員に対して松下幸之助は、「半値にすると考えてみたらどうや」と言う。「三割安くしようと思うから重箱の隅をつつくみたいなことを考えているのやろうけど、半値となれば、根本から考え直さなければならないから楽やで」と言って、笑いながら帰っていったそうである。（p122）

「楽やで」と言われても困るが、私はこの考え方にわりと共感できる。簡単にはできそうにない「半値」という目標を設定することによって、今までの常識を疑ってかかることから突破口が開けるのである。1、2割の削減なら、主だったところは固定しておいて、一部を手直ししようとする。しかし原価を半額にするためには、根本から前提を突き崩していかなくてはいけない。そうやっているうちに、まったく違うシステムが導き出される。とりあえず一歩ずつ進むにしても、その原動力となるモチベーションはむしろ極端なほうがいいという提案だ。

最近、この方法は開発部門で積極的に取り入れられているようだ。マイナーチェンジという少しだけのアレンジだと、発想は根本的に切り替わらない。そこでまったく違った発想をせざるを得ないような目標を設定する。それが原動力になって、今までにない手段や手法が編み出されてくるのだという。

「段取り力」をよくするためにも、動機付けの目標はある程度厳しさがあったほうがいいだろう。納期もなく、コストパフォーマンスもない設定では、段取りがよくなるはずはない。

受験勉強や中間試験、期末試験も同様である。受験は人間性を疎外するという説もあるが、試験があることによって、段取りを組んでいく力が鍛えられるのは確かだ。福沢諭吉が在籍した緒方洪庵の適塾は試験の連続だった。しかも席次がはっきり示されるので、皆が競い合うように勉強したという。何日に試験があるから、それまでにどういう勉強をしなくてはいけないという循環ができていた。その環境で磨かれたものが人格的に見て曲がったものでないことは、そうそうたる適塾の出身者を見ても分かる。段取りが厳しく組まれていることで、創造性や人間性が損なわれるわけではない。

モーツァルトの仕事ぶりを見ると、曲を作ることに関して恐ろしく段取りがいい。

ヴィバルディやバッハもそうだった。彼らはものすごい量の曲を次々と作っている。段取りがよくなくてはとてもできないだろう。しかも、大量に作ったからといって彼らの音楽に精神性がないわけではない。とかく段取りをよくすることと、人間らしさや精神性とを矛盾しているようにとらえる考え方もあるが、それは見当違いである。

2 建築家、安藤忠雄に見るクリエイティブな「段取り力」

イメージトレーニングは「段取り力」そのもの

優れた「段取り力」の持ち主の一人として、建築家の安藤忠雄を紹介したい。朝日新聞に掲載されたインタビュー記事（２００３年６月１日付日曜版）によると、彼が建築家を目指すきっかけになったのは、14歳のときの家の増築だった。大工さんを手伝ったのが楽しくて、さらに高校２年生のときに帝国ホテルを見て感動した。その後、大学に行くことが難しかったので、19歳の１年間は外に出ないで朝の９時から次の日の朝４時までいろいろなことを学び、大学４年分の勉強を独学で１年で終えたという。

そして、設計のアルバイト代をためて海外に出かける。シベリアからヨーロッパ、アフリカ、インド、タイ、フィリピンと回り、毎日歩き続けた。１日15時間ひたすら歩きながら、一つの建築を見たらその建築物のことをずっと考えながら、次の建築物まで歩き続けた。その後も吸収できる年齢は35歳くらいまでと考え、必死に勉強し、今は80歳まで若い心を持って仕事をするという。まさに人生の段取りがしっかりしている。土台作りのすごさは、さすが建築家だ。

「段取り力」を考えるとき、建築は象徴的である。彼は1日50キロ近くを歩き、建築について考え続けた。歩きながら考えたのが面白い。

「建築を頭の中で考えるトレーニングが、この厳しい旅で可能になり、今も私の大切な能力になっている。建築は本のように、読み取れる人だけが本当にわかる。それができなければならないのです。」

と、このインタビューで述べている。頭の中で建築を考えるトレーニングをやったことで、「段取り力」が鍛えられたはずだ。

やはり段取りは、やる前に頭の中でいちおうその手順を組み立てておくものである。これなしで突っ込んでしまうと、あまりいいことはない。スポーツでも優れた選手は、次の状態をいくつか想定しているはずだ。テニスでサーブが来るとき、フォアハンドだったらこうしよう、バックハンドに来たらこうしようと、一応シミュレーションはしておくだろう。それがまったくなく、無心で待っていてもなかなか反応はできないものだ。その意味で頭の中で映像化してシミュレーションができる能力は、実際の紙やモニターの上で描いて作る以上に、力としては実践的だ。

安藤は50キロの移動の最中、今見た建築のことについて自分がそれを組み立てたとしたらどうするか、手順をずっと頭の中で考えていたのだろう。要するにでき上がりから製造工程を逆算して、組み立てていたのだと思う。結果からプロセスを推測し、頭の中で何度も検証するトレーニングをすることで、今度は自分が仕事をするときにプロセスと結果がすぐ結びつく。それはまさにイメージトレーニングであって、「段取り力」そのものと言えよう。

「段取り力」とは手作業という意味合い以上に、イメージトレーニングの側面が強いと思う。「こうなったら、こうなる」ということが頭の中で考えられる。安藤はそのトレーニングになったとはっきり言っているところからも、自分が何をしているのか、つねにクリアな人だということが分かる。彼は生き方そのものがまさに建築的だ。でき上がりからそのプロセスをイメージする建築家的なものの見方は「段取り力」を鍛えるトレーニングに最適と言えよう。

現場との対話から発想力を得る

その安藤が段取りを組んでいくとき、必ず行うのが現場との対話だ。実際には現地を見に行かなくても、設計することはできる。しかし安藤は『連戦連敗』（東京大学出版会）という著書の中で、「これまで何の接点もなかったような場所では『その場所につくるのだ』というリアリティが感じられません。発想する力が出てこないのです。」（p47）と言っている。

つまり一回、その場所に行って敷地と対話することで、都市の文脈が分かるというのだ。都市といっても、京都と東京の成り立ちは違う。文脈とは流れだが、そこに組み込まれている流れは現地に行くことで、肌で感じられる。

段取りを組むとき、経験が積み重なっている領域では、頭の中でシミュレーションができる。その敷地にどんな色のビルが合うのかは、周りを実際に五感でとらえていれば、瞬時に感じ取ることができる。「文脈」が分かるとはそういうことだ。

今やろうとしている「点」だけを見ている人と、やろうとしていることの周りにつながっている「文脈」を見ることができる人とでは、段取りを組む力が違ってくる。今、目標としている事柄だけを見て手順を組むと、でき上がったとき、自己充足的にはいいのだが、周りとのバランスが悪い。

だから自分が段取りを組むためには、一度でも現場に行って調べることが大切だ。一見効率が悪いように見えるが、自分が調べたかった以上のことに気づいたり、それ以上の文脈をとらえることができる。それは段取りを組むとき、大きなプラスになるだろう。現場は常に動いている。「百聞は一見にしかず」というのは、まさにこのことを言うのだ。

私は最初に東京に出てきたとき、不動産のことがまったく分からなかった。アパートを借りる際、どういう条件を加味すればいいのか判断材料がなかったため、「サンライズ」という名前だけで、朝しか日が当たらない暗い部屋に住んでしまったことがある。もしそのとき、最低でも10軒くらい物件を見ておけば選択も違っていただろう。最初の2、3軒を見てここでいいと思った物件があっても、もう少し見ていくと、さらにいい物件が出てくる。最初にいいと思ったあの物件は何だったのか、と思うに違いない。

要するに、自分の経験知が高まってくるわけだ。不動産にまつわる基本的な項目が10項目くらいあるとすると、慣れていない人は、自分の気にしている項目3、4個だけを見る。しかし、実際には現物を見ながら、項目を増やしていくのが正しい段取りだ。

たとえば、5軒目で非常に間取りのいいところに当たると、こういう間取りが使いやすいと分かるので、いい間取りの具体的なチェック項目がひとつ増える。日当たりのいいところに行けば、それが基準になってチェック項目が増える。**大事なのは出会った現物を見て、経験を積み重ねることによって、自分の中にチェック項目を増やしていくことだ。**

現場に行く効用はそれだけではない。外側から枠を決めて、状況を設定することが力を引き出す段取りだと言ったが、現場に自分の体を持っていくことは、まさに段取りそのものと言える。

安藤は自分の事務所のスタッフを育てるため、ときどき事務所内で所内コンペを開くそうだが、そのコンペに安藤自身もチャレンジャーとして対等な立場で参加する。そしてたいてい安藤の案が通るのだが、それは彼には他のスタッフにない決定的に有利な点があるからだ、と言っている。

「それは、どのような形で始まるプロジェクトにせよ、私は事務所の代表として必ずそのクライアントと顔を合わせているということ、そしてあらかじめ敷地を訪れていることの2点です。……（略）……敷地を実際に訪れ、周辺を含めた場の空気を身体で感じ取ってきた分、スケッチの1本1本の線にも否応なしにリアリティがこもってきます。

結局、発想する力、構想力とは、建築にリアリティをもって臨めるか否か、この一点に大きく関わってくるのだと思います。」（p178）

現場に行き、場の空気を感じ取ってくることで活動に差が出てしまう。すでにその時点から段取りが始まっているのだ。この話はとても興味深い。膨大なデータを集めても、1回の体験にはかなわないということだ。場が持つ力を重視していれば、自分で現地に行ったり、クライアントと直接顔を合わせて話をするだろう。そうすればいろいろなことを感じ取り、それを設計に活かすことができる。設計する前の段取りとして、現地を訪れる段取りを組んでおけば、自分の建築家としての設計能力を引き出してくれる。安藤の段取りには、常にそういう状況設定があるということだ。

最終ヴィジョンを明確にすると段取りが見えてくる

トヨタでは、半値にするという目標を立てることで大胆なコストパフォーマンスを実現した。このように目標の立て方で、根本的な段取りが変わってくる点は重要なキーポイントになる。段取りを考えるのにマイナーチェンジでいくのか、それともかなり根本から発想を変えるのかでは大違いだ。

目標の立て方とは、言葉を変えれば、テーマやコンセプトとも言える。**自分にとってテーマは何か。中心となるコンセプトや考え方、概念は何か。目標とするヴィジョン、最終的に見えてくる像、イメージとはどういうものなのか。それがその後の段取りを決めていく。**

建築はテーマ性がはっきり出てくる領域だ。たとえば京都駅に作る駅のイメージは、当然古い都である京都という都市の文脈をどう考えるか、それに対してどういうテーマで臨むのか、ということと密接に関わってくる。それがテーマ性だ。安藤忠雄の『連戦連敗』には、西欧建築のテーマ性について次のように書かれている。

「石・煉瓦の組積造による西欧建築の歴史とは、即ち、重力に抗して内部空間のヴォリュームをいかにして獲得するか、そのヴォリュームを形成する石の覆いや側壁

にいかに大きな開口部をつくり効果的に光を導入するか、その挑戦の歴史であったと見なすことができるでしょう。」（p202）

安藤忠雄は、建築家ル・コルビュジエが建てたスイスのロンシャン礼拝堂を見たとき、そこに光のドラマを発見する。その建築から光の空間をどう作るのかというテーマを受け取り、1989年、大阪に「光の教会」を建築した。これは礼拝堂の暗闇に光の十字架が浮かび上がるという画期的な設計になっている。コルビュジエの真似ではないが、テーマは同じだ。

「ロンシャンの礼拝堂を通じてル・コルビュジエから受け取ったもの、それは形の問題ではない、光を追い求めるだけでも建築ができるという建築の可能性だったのです。」（p202）

光を追い求めるだけで建築はできる、というテーマを安藤はコルビュジエから教わった。光の教会を建てるとき、結果的には違うものを作っても、光のドラマというテーマでは共通するものがある。これが間接的な引用、すなわちアレンジして変形する力だ。テーマを盗んで来ても、それを自分の身体や感覚を通して表現すると、どうしても変形される。安藤はもっと意識的にそれを語っている。

「しかし、ロンシャンやラ・トゥーレットのあの豊潤で官能的な光の空間は、建築家自身の本能によって創出されたものであって、決して他者と共有し得るように技法化し普遍化できるようなものではありません。それはル・コルビュジエの肉体と深く結びついたものなのです。私も、その直接的な引用を試みようなどとは思ったことはありません。」（p202〜203）

テーマを変形する力が、何かを生み出していく重要な部分だ。変形するということ自体が段取りそのものになるのが、非常に大切なところだ。

素材を限定することで創造性が喚起される

安藤によると、建築の面白さは条件が限定されているところにあるという。

「建築家は、自らの思う建築概念の実現と地理的条件、力学的条件、技術的条件、法規による規制、経済的制約といった現実の諸条件の双方を考えながら、その状況における最適な解答を見つけていきます。このせめぎ合いの中で、概念に形が与えられるのです。」（p142）

これが段取りを組む時の重要なプロセスだ。まずは自分が作りたいもの、理想形がある。これなくして、段取りを組むのは難しい。しかしそこにはさまざまな制約や条件がある。収納上手な人は、片づいた状態のイメージがあり、そこから逆算して、現実のそれぞれの家の条件や制約に応じて、どういう手が打てるか考えるのである。つまり両側からアプローチしていくわけだ。一つはある種の理想形、もう一つは現実の諸条件、そのせめぎ合いの中から生まれてくるのが形である。

その意味で建築は一つの象徴ともいえる。理想と現実が対立していた時代があったが、本当の思想とは、こうしたせめぎ合いの中から出てきたものである。**創造性と「段取り力」は矛盾し合うのではなく、むしろ「段取り力」があるほうが創造性が高まるという例は、トヨタ式でも明らかだった。**

建築の例で言えば、技術革新とエコロジーとは対立するが、現実的にはエコロジカルな建築物を建てるためには高度な最先端技術が必要だということになる。安藤は、「ハイテクノロジー、即ち技術的進歩が、そうしたエコロジカルな建築というコンセプトの実現を可能にしたのです。」（p147）と述べている。

彼は日本の家屋に古くからある風の道を作ったり、水の循環利用といった自然エネルギーの効果的な使い方を実行するために、コンピューターによるシミュレーション実験など先端技術を使っている。つまり技術や段取りのよさと、創造性やエコロジカルな観点とは矛盾しない。これらの条件があるから、創造性のあるものが生まれやすいと、安藤は言っている。面白いのは創造性を喚起するために素材を限定する、という方法をとることもあることだ。

「自ら用いる手立てを限定する、その不自由を乗り越えることで得られる可能性というものがあります。」（p208）

たとえばスペインの建築家ガウディが活躍した時代は、エッフェル塔に象徴されるような鉄やコンクリートなどの近代的な工業材料が出現した。しかしガウディはあえて古臭い石とレンガを使い、カタルーニャ地方固有の伝統的な工法を採用する建築を追求した。風土的な、あるいは技術的な限定の下で実行することによって、ある種の創造性が生まれ、究極のサグラダ・ファミリア大聖堂に行き着くのである。

この発想は意外に使える。段取っていくとき、ヴィジョンからいく方法と、素材からいく方法の両方向性があるが、素材を限定することによって手順がクリアに見えることがある。簡単に言うと、**自分の手持ちの道具はこれだけだとはっきりすれば、それを駆使することで作業効率を上げていくことができるのだ。要するに素材に習熟す**

るということだ。

安藤のやり方は、鉄とガラスとコンクリートという素材を中心にして、幾何学による構成で建築をするものである。「誰にでも開かれた材料と構法をもって、誰にでもは決してできない建築空間を生みだしたいと思っているのです。」（p209）と彼は語っている。それは自分へのチャレンジでもある。いろいろな材料を使えば、建築のヴァリエーションは増えてくるが、それをやらずに素材を限定することで自分のスタイルを確立していく。ガウディがサグラダ・ファミリアを作ったのと同じ段取りだ。

このように素材を限定することによって行う段取りには、非常なアイディアが要求される。たとえば、『料理の鉄人』（フジテレビ系列・1993―2002）は、2人の料理人の「段取り力」の差があからさまに出る番組だった。まず制限時間がある。そして素材が限定される。「今日の素材はピーマンです」と言われたら、全部の料理にピーマンを使わなくてはいけない。素材の限定が生むある種の創造性やアイディアがクリアに分かる仕掛けだ。

もし素材が自由であれば、自分の得意な料理を作ってしまうだろう。それでは料理人自身にとっても驚きは少ない。自分の中にチャレンジも生まれにくいだろう。また

それぞれが自由に素材を使ってしまえば、料理人同士、出来不出来を比較しづらい。
しかし、すべての料理に「ピーマン」を使わなければならないとしたら、その素材の味が活かされるような前菜からメイン、デザートまで、相当なアイディアが要求される。他の料理人との比較も明らかになる。まさに不自由な制約である。だが、その不自由さの中でこそアイディアが刺激される。そこからアイディアを生み出していくのが本当の「段取り力」であり、言ってみればプロの「段取り力」だ。
私は学生に対してこのやり方を使っている。限られた素材で授業を作るように言うと、１人１人の戦略やスタイルがクリアになる。素材を限定することで自分もアイディアの出し方を学ぶことができるのだ。自分自身がどのようなスタイルを持っているのか、自分ではっきりするということだろう。

もちろんテーマやコンセプトを決めて、授業を作らせることもある。「子どもが読書する力がつく授業を作ってみなさい」というのは、テーマから出発した授業の作り方だ。その場合には、読書力をつけるための素材は何なのか、絵本からいくのか、漫画からいくのか、それとも短い物語からいくのか、素材はたくさんある。

しかしある素材を与えて、これで何かを作ってくれ、テーマやコンセプトも自分で見つけてくれというやり方をすることもある。両側からいくと、授業を作るとはこういうことかと分かってくる。

作るとは、すなわち自分のアイディアを組み込み、最終的なヴィジョンと素材の間をつなぐ階段を作るということだ。自分が今そういう作業をしているのだと明確に分かっている人には、簡単なことだろう。だがいったい何をしているのか、自分のやっていることが分からない人にとっては、段取りを組む作業はいっこうにはかどらないことになる。

つまり、**テーマを限定する、あるいは素材を限定するというやり方で、どちらかを固定して作業をしていくと、自分はどういうスタイルで仕事をするタイプなのかが分かるし、他の人とも比較できる。**

建築家が、自分の得意な素材を持つのは分かる気がする。木ばかり使う人は木を使う。安藤はほとんどを鉄とガラスとコンクリートで作っておいて、最低限人間の体が触れるところを木で作ることが多い。これは一つのスタイルだ。このように素材を設定することで「段取り力」が変わってくる。

「段取り力」を鍛えるためには、ある程度限定した中で訓練をしたほうがいいだろう。

3 ホテル再建に見る水も漏らさぬ緻密な「段取り力」

マニュアルを作る側に立つ

「段取り力」を考えるとき、ホテルも参考になる。ホテルは泊まる側からすると、建物とか入れ物というイメージがあるが、ホテルの本質は建物ではなくそれを動かしている段取り力にある。たとえばどのホテルにもトイレがあるが、段取りが悪く、トイレ掃除の手順が一つでも欠けたら、そのホテルの質は落ちていく。ボイラー室にいる人間の手順が一つでも抜けたら、一気に苦情が出る。そこで働いている人間1人1人の技としての「段取り力」の集積がホテルの質になるのだ。

閉鎖されたホテルの建て直しを描いた『プロジェクト・ホテル』(小学館)には、その段取りの集積が描かれている。著者の窪山哲男は大学生のときホテルマンを目指し、アメリカのコーネル大学のホテル経営学部を受けたが、不合格になった。学科試験はできていたが、実務経験がなかったからだ。そこで、日本の帝国ホテルでハウスキーピングのパートタイマーとして働くことになった。その実習の第1日目がトイレ掃除だった。

彼はここでトイレ掃除の方法を徹底的に学んだおかげで、今でもトイレ掃除は誰にも負けない自信があると言っている。そのとき教えてくれた戸谷さんという先輩は、ゴム手袋があるのに、素手で便器を磨いたという。ゴム手袋をしていると本当に汚れが落ちたかどうかが分からないが、指でじかに触れれば、汚れを感じ取ることができると言うのだ。

窪山はそこでトイレ掃除の段取りを覚える。それをマスターしたらトイレに関しては自信がつく。一つずつ段取りの技を増やしていくわけである。次に窪山が担当したのは客室の掃除だった。そこにもまたプロの技がある。

「客室に掃除機をかけるときには、まず靴を脱いで後ずさりしながらかける。こうすると、足跡が残らずきれいに掃除機がかけられるというわけだ。壁にかかっている額の後ろや棚の裏まできっちり磨きたてる。こんなところまで掃除するのか、というほど徹底的にきれいにする。客室は商品なので、お客様のために完璧な状態に

しておくのが仕事であるというプロの意識をいやというほど実感させられた。」(p74)

この経験のおかげで、窪山の部屋のチェックは今でも厳しい。少しでも汚れを見つけると、最初からすべてをやり直しさせるそうだ。

ところで、窪山の勉強の仕方も非常に段取りができている。帝国ホテルの勤務が午後の4時から夜の11時までだったが、残りの時間でフランチャイズレストランの勉強をするため、マクドナルドで朝7時から午後1時までアルバイトをした。

マクドナルドではアメリカ企業のマニュアルに接して驚くことばかりだった。たとえばシェイクの製造マシンは毎回解体して掃除する。作ってから一定時間たったポテトやハンバーガーはすべて廃棄する。品質をつねに一定に保つため、細かいマニュアルが決められているのだ。こうしたマニュアルを構築して、企業経営を行うアメリカに対して、彼はいっそう憧れが強くなったと述べている。

ここで注目したいのは、窪山が最初からマニュアルを作る側に自分を置いている点だ。ただ働かされているだけなら、マニュアルを作った国に対して憧れがわいたとは言わない。彼は、フランチャイズレストランの経営の勉強をしたいと思ってアルバイトをしている。だからマックでバイトをしているにもかかわらず、アメリカ企業のマニュアルについての勉強をしているのだ。

自分がいる場所でただ言われたことだけをやっているのではなく、全体で何が起こっているのかを、マニュアルを構築する側の立場に立って見通す。これがマニュアルを盗む力だ。段取りを盗む力になる。マニュアルは作る側から見ると知恵の結晶である。アルバイトなのにマニュアル作りを見通せる人間は、窪山のように将来、経営者になっていくだろう。

裏段取りを仕込むプロのすごみ

そもそもホテルをマネージメントするのは、非常に細かい段取りを知らないとできない。

帝国ホテルでの実務経験をへて、窪山はめでたくコーネル大学のホテル経営学科に入学を許可されるのだが、その講義はすべてにおいて合理的だった。

たとえば大学の講義では食肉全般についてのミートサイエンスという授業がある。最初に屠畜の現場を見て、肉を無駄なく使わなくてはいけないことを学ぶ。次に肉の脂肪や肉質について勉強する。肉の脂肪には2種類あって、熱を加えるとどうなるか、どんな料理に適しているかなど、肉を切り分ける教授の手元を見ながら、幅広く、理論的に学んでいくのだ。

「また食在庫の管理から発注、フォーキャスティング（使用量の予測）、ポーションコントロール、伝票の作り方、棚卸のやり方、食材の管理方法といったことをフードコストの面から徹底的に勉強する。

建築学では、ビルの強度を保つためのセメントと砂と水の配合から強度を割り出す計算式とチェック方法を学んだり、断熱材の効果について、部屋の温度を一度上げるのに必要な熱量の計算の仕方までの授業が行われる。

ホテルというと宿泊と料飲がイメージされるが、お客様の二十四時間を三百六十五日お預かりしているので、学ぶべき範囲は大げさではなく生活に関わるすべてに及んでいる。そのためあらゆるジャンルにわたり学んでおかなければ対応ができない。」（p76）

こうした授業の他に、ホスピタリティやクレーム処理についても実習やディスカッションがあるという。授業は毎日夜10時ごろまで続き、宿題は山のようにある。コーネル大学のホテル経営学はアメリカンマネージメントそのもので、ＭＢＡ（経営学修士）と酷似しているそうだ。肉を切り分けたり、セメントと水の配合を学んだり、非常に具体性がある。段取りの鬼という感じである。これだけのことを教えてくれる大学なら、お金を払う価値があるというものだ。

窪山のホテルでの仕事の覚え方は、「段取り力」を鍛えていくプロセスそのものだ。彼はコーネル大学を卒業後、ニューヨークのウォルドルフ・アストリアというホテルで働いた。そのときは宴会営業の担当だったが、朝8時から深夜2時過ぎまで毎日働いたという。宴会は、朝、昼、夜、サパーと深夜1時過ぎまであり、終了するのを待っていると2時を回ってしまう。そこではいろいろなパーティが行われた。フォードとカーターが争った大統領選の会場に、ウォルドルフの宴会場が使用されたこともあったという。

「宴会営業はバンケットアナリシスという役割を担っており、顧客、出席者、予算などすべてにわたり分析を行う必要がある。単なる営業ではなく、プランを組み自分でメニューまで書けなければ一人前とは評価されなかった。そこで、新しいグルメ本で料理を見つけると、すぐにシェフに相談に行って作れるかどうかを聞いた。

オーケーとなると、さっそく顧客のところに出向いて、新しいメニューでの提案を行った。」(p91~92)

ハードである。だから日本に帰ってきてフロントの仕事をやったら、非常に暇だったらしい。確かに宴会営業というと、聞いただけでは何の仕事をするのかよく分からないが、顧客と予算のすべてを管理し、食事の用意までするとなると、大変な「段取り力」が必要とされる。仕事というのはこういうものかというすごみがある。訪れる人たちが快適に過ごせるよう、その裏の仕込みや裏段取りをすべてするのがプロの仕事だ。

やはり、仕事らしい仕事には段取りがある。段取りがいいと流れがよくなるから、サービスを受ける側の人は快適に過ごせる。

同様にホテルでも客が快適に過ごせるよう、裏方としての仕込みの作業、つまり裏段取りに大変な力を入れている。ドアマンからベルボーイ、客室係まですべての人が気分のいいホテルがある。1人に何かを頼むと、話が全員にスムーズに通っていく。それは1人1人の性格がいいという問題よりも、段取りが鍛えられているのだ。

物事を俯瞰して見る視点を忘れない

窪山は当時、一番経営がうまくいっていたマリオットホテルの年金システムを解読した。そして問題点を洗い出し、いい点は残し、問題点だけを改善するという方法で新しい年金システムを作り上げた。トイレ掃除でスタートしたときから、彼はつねに物事を俯瞰して見る視点を忘れなかった。それが「段取り力」を鍛える秘訣である。

象徴的なエピソードがある。窪山がハワイのニューオータニで働いていたときのことだ。

ホテル内の和食レストランの厨房が暑いので、改善してほしいと要望があった。さっそく彼は厨房を視察する。普通はエアコンのモーターに問題があると考えるのだが、窪山は設計図を取り出し、全館のエアフロー、つまり空気の流れを調べた。

するとレストランを9階から2階に移動した際、エアコンのエアフローを設計し直していなかったことが判明した。厨房のエアコンモーターはエアフローを逆に押さえていたのだ。窪山は厨房のモーターを取り外した。その結果、空気の流れがよくなって涼しくなったというのである。

「ほんの少しガッツポーズしたい気分だった。／暑いと聞いた瞬間に、暑さの原因をモーターに集約させることなく、館内全体の問題としてとらえて問題を解決できた。意識もしないでエアフローを調べようと思ったことからすると、どうも自分はホテルの仕事が向いているらしい。こうした小さなことの積み重ねを体験するうちに、自分にとってホテルマンは向いているかもしれないと思えるようになっていった。」（p101）

モーターの問題ではなく、館内全体の空気循環の問題として見直すという窪山の目のつけどころは、非常に段取り的である。「段取り力」とは、全体を通して見る予測力のことだ。一部だけしか見ないマニアでは段取りが組めない。彼は自分がホテル経営に向いていると自信を持つのだが、それは正しい判断だ。要するに自分には「段取り力」があると分かったということである。

その後、彼は北海道の「ウィンザーホテル洞爺《とうや》」の再生プロジェクトに関わり、理想のホテルを実現する。彼によれば、高級なホテルとは細部にわたってこだわりを持っていなければならない。たとえば館内の花はすべて生花でないといけないというわけで、ITを利用して仕入れコストなどを下げて空輸する。音楽に気を配り、時間帯や気候、季節に応じてBGMを変えている。

「スパでくつろぐためのバスローブは、その素材にこだわった。エジプト綿は繊維が長いので肌ざわりがいいと言われているが、吸水性を考えると多少問題がある。イギリスのホテルのバスローブは素材のよさで知られているが、それは長い植民地政策によって最高級の綿の供給が可能になったためと言われている。イギリスと同じようにとはいかなくても、匹敵するような綿素材で作った。その肌ざわりのよさを、実感してほしい。」（p204）

最高責任者がバスローブの素材まで知っているというのは強みである。窪山はアメニティにもこだわった。

「そのかわり、男性のためにはレザーの切れ味にこだわった。肌に直接触れるレザーの刃は、できるだけ薄く切れ味がいいものを用意することで肌へのダメージが極端に減る。これによって最高の髭剃《ひげそ》りあとを実感できるのだ。」（p205）

確かに、髭剃りにはこだわってほしい。私はよくホテルで血だらけになる。次の朝、講演会などというときは本当に困る。怖くてホテルのレザーが使えないから、自分のを持っていくほどである。

さらに窪山は、ベッドのスプリングにもこだわった。約400室にすでにあったベッドすべてを廃棄し、新しいベッドに入れ替えさせた。ホテルのベッドで、家にいるより1時間でも多く眠れたら、それだけで幸せな気分になるだろうというわけだ。シーツにもこだわりがある。汗をかく夏と、寒い冬でシーツを変えることで快適性を追求した。

さらに滞在日数が多くても対応できるよう、オープンクローゼットを設け、ミニバーにも缶ビールではなく瓶ビールを置いた。瓶のほうがおいしいような気がするからだという。

とにかく恐ろしく細かいこだわりがある。スプリングやシーツ、バスローブの素材まで。だが、これは趣味の問題ではない。たまたまバスローブに興味があるとか、音楽が好きだったという問題ではない。綿の素材から食材の仕入れ、建築や従業員の年金にいたるまで、トータルにできるのは「段取り力」がすごいのだ。

ホテルは総合的な流れのよさと快適さを味わうための空間だから、「段取り力」が勝負になる。ちょうど血液のように、アメニティからサービスまですべての流れがよくなることで、ホテルは快適に機能するのだ。**ホテルは「段取り力」の集積である、ということが見えていれば、一流ホテルかどうかの区別も容易につくだろう。**

ホテルの部屋一つをとっても、部屋に置かれたコップ1個、シーツ1枚、髭剃り一つにいたるまで、窪山のようなすべてを知り尽くした人がこだわって考えたものだとすると、「段取り力」のすごさを実感することができるだろう。そういう視点で一流ホテルを訪ねるのも興味深い。

4　雑誌『ポパイ』に見る余白の「段取り力」

先に石を投げて動きだす段取り

『証言構成「ポパイ」の時代』（太田出版）には、さまざまな段取りのパターンを見ることができる。マガジンハウスが発行した『ポパイ』は70～80年代に一世を風靡した若者雑誌だが、その黄金期、つまり70年代後半から80年代初頭にかかる時代の、雑誌が一番元気だったころの『ポパイ』の話が書かれている。

今では雑誌作りの夢は経済の夢にすりかわってしまい、マーケティングをしてから雑誌を発行するのは当たり前になっているが、『ポパイ』が創刊された当時は、マーケティングをしてもいわゆる「ポパイ族」はいなかった。雑誌が「ポパイ族」を作ったのだ。

マーケティングをやると、どうしてもスタートが遅くなってしまう。段取りをするときの悪いイメージは、何か本当の仕事をする前、事前の調査に時間をかけ過ぎることだ。手続きに時間をかけると後手になることが多い。石を投げずに調査をしても、その調査自体の基準がないわけだから、調査したところでどうなるか分からない。

むしろ総合的、直感的に捉えて、自分たちで石を投げ、その反応で動けばいい。**まずは動いてみるというのが段取りとしては正しいやり方だろう。そこで経験知が積み重なれば、大きな予算でチャレンジするときもリスクは少ない。**

『証言構成「ポパイ」の時代』にはまさに、先に石を投げる雑誌作りの醍醐味が描かれている。フリーエディター寺崎央へのインタビューでは次のようなやり取りがある。

「……海外取材が、特に丹念に見えるんですが。

寺崎　丹念じゃないんだよね。網羅してるだけで。深くはやってない。とにかく短時間でダダーッの取材になる。初めて見るものがわんさか。『あ、ヒラリーの靴屋だ』とか。で、本当はそこで半日くらい丹念に取材しなきゃいけないんだろうけど、わずか1時間か2時間でワッワッワーッ。写真撮って、資料もらって、じゃあ次行こうでしょ。

……松山猛氏に訊いたら、海外取材では一日8時間くらい歩き回ってたと。

寺崎 外国行ったら、とにかく全部写真に撮る。使う使わないは別にして。……（略）／『ポパイ』じゃなくて、別の雑誌の仕事で外国行くと、カメラマンや編集がサッササッサと行かないいんだよね。今日はこの店とこの店やったら終わり、みたいな調子なの。おいおい、もったいないじゃないか。時間あるならどんどん次行こうよ、何があるんだかわかんないんだから撮っとこうよって思う。ところが、予定通りの仕事しかやらないいんだよね。

……無駄打ちをしないと。

寺崎 そう。それが気にいらないんだ。おれなんか、時間もったいないから、どんどん撮ればいいじゃないのって思うけどね。」（p118〜119）

海外に行ったら、とりあえず何でも撮影して来てしまう。効率的に撮るものだけを決め打ちして行くやり方もあるが、ここではその場で使える、使えないという判断をしない。本当はつまらないものかもしれないが、その瑣末なことが面白い記事に発展していく可能性がある。その芽を摘まないようにエネルギッシュに動いているわけだ。

仕事では無駄打ちをしないのがいいことになっているが、この人たちはあえて無駄打ちをする。これも段取りとしては一見雑然としているが、二度行くわけにはいかない海外という場所でネタをひたすら仕入れる段階だと考えれば、こういう段取りもありだろう。

この本にはいくつか面白いヒントがあって、たとえば編集上の誌面にも人の目の流れを意識した段取りがあった。アートディレクターの新谷雅弘へのインタビューだ。

「……『ポパイ』のデザインは、誌面が大きく見えるんですよ。

新谷　目の流れがバーッと流れていくようにつくっているから、大きく見えるかもしれない。大きな写真がきたら、次はこうくる、その次はこうくるっていうので、流れをつくっていくというか。ぼくはいつも『水が流れる』って言うんだけど。次のページに水を流していく。そのためにはどうまたがらせていくか。それはひとつわれわれの鉄則で、ぜったい切ったら駄目だっていうのがあったんだけど、今は、平気で切るね。目の誘導っていうのは、雑誌をつくる場合、いちばん大切だから。カチッカチッと、目が止まってしまうように、スタティックになってしまうと、やっぱり本が狭く見えちゃうよね。」（p159）

目の流れがスムーズである、という基準が一つあれば、誌面をデザインしていくときの段取りも決まる。『ポパイ』の場合、人間工学的な生理的快感を基準にしたので、それが読みやすさにつながっていったのだ。

さらに彼らは、レイアウト用紙を使わなかったらしい。レイアウト用紙を作ったが、それを使うと誌面がつまらなくなってしまうから、誰も使わなかった。絵を描くように、白い紙にどんどんレイアウトをして、自由な感じを出したという。ずいぶん大胆な編集をしていたようだ。

スペースを作り、その範囲を確定する

ここに会議の話も出てくるのだが、『ポパイ』には基本的に会議嫌いの人が多かった。会議室ではなく、喫茶店で一気にアイディアを出し合ったそうだ。喫茶店を上手に使うのも段取りの一つだ。会社の会議室で「さあ」と構えてしまうと、どうしても雰囲気が硬くなってしまう。アイディアではなく意見が出てしまうことが多い。喫茶店のようなところで気楽に話すと、思いつきを簡単に言える雰囲気になる。喫茶店は時間的にも空間的にも区切られているので、意外に仕事に使える場所だと思う。

面白かったのは、『ポパイ』は編集者が取材に行って原稿も書いたのだそうだ。取材イコール自分で車を運転してコーディネートして原稿も書く、ということだった。

今は編集者とは別にライターが同行して原稿を書くが、この雑誌では編集者がライター兼ドライバー兼コーディネーターだった。企画を立てた人間が取材して、原稿まで書いてしまう。そういう時代だったから雑誌が活き活きしていた。

効率的に分担すればいいものができるかというと、そうとは限らない。企画を立てた人が趣旨を一番分かっているし、取材をした人が事情を一番分かっている。あまり分類しないで、そのスペースはその人に任せたという感じだろう。だから、『ポパイ』には斬新なチャレンジがたくさんある。

それから、同じマガジンハウスの雑誌『ブルータス』創刊2号の表紙は町で拾ったアルバムの写真だ。編集者が拾って来たアルバムの写真が迫力があったので、そのまま表紙に使ったらしい。「心当たりのある方はご一報ください」、と書いてある。面白い試みだ。基本的に雑誌のコンセプトや取り組み方がしっかりしていれば、その中に盛り込むものはかなり自由な発想でいい。偶然の出会いを大切にできる。

段取りと言ったとき勘違いしてほしくないのは、あらかじめ決めた通りにしか動かず、出会いのパワーを摘み取ってしまうことだ。しかし『ポパイ』の場合、決めた段取りだけでなく、時間があったら他のところもどんどん撮ってきてしまう。そこで新たな出会いがあり、その出会いから新しいネタが生まれる。出会いという空気を残す大胆な雑誌だったと思う。**アイディアや出会いの入る余地を残すことが、段取りを組むコツである。**

そのためには2つ方法がある。1つはスペースを空けるということだ。段取りを組むとき全部を埋めつくしてしまうのではなく、あえてスペースを残しておく。サッカーでもスペースという考え方が重要で、わざと人がいないスペースを作る。そこに走りこんで行くスピードを利用してゴールまで持っていく。段取りに残すスペースもそれに近いイメージだ。そこは空いているから、自由に何でもできる。カラオケも同じだ。歌の部分を抜いてスペースにした。そこに素人が走りこんで、気持ちよく歌うことができる。

ただ、空いているところがどこなのか分かるように段取りを組む必要がある。意識的にスペースを作るのだ。サッカーで言うと、フォワードがディフェンスを引き連れて行って、どこかへ移動をする。そのことによってスペースが空いて、そこに誰かが走りこむ。これがスペースを意図的に作るということだ。

2つ目はスペースの範囲を確定することだ。文章で言えば「書く枚数は？」とか

「書く期限は?」といったことが分かると、そこがスペースになるので、そこから逆算してどんなものを作るのか考えられる。ライターはレイアウトが決まらないと、なかなか文章が書けない。

写真がどのくらいの大きさで何行くらい入るから、と言われると、残りのスペースに文章を書ける。しかし適当に書いておいてと言われると、入れるべきネタの選別も分量も違ってしまうので、うまく書けない。ぎちぎちに段取りは組まないで、スペースを作っておくが、その大枠は決めておくということだ。

第二章

トラブルに強いタフな「段取り力」

1 列車ダイヤに見る〝カゲスジ〟の「段取り力」

ダイヤを組む「スジ屋」の「段取り力」

さらに気の遠くなるような段取りが描かれているのが、『定刻発車』(三戸祐子著・交通新聞社)だ。これはいろいろな面で面白い本だ。まず最初に、日本の鉄道が時刻通りに運行されていて、寸分の遅れもないのは世界でも非常に稀だという驚きから出発している。この厳密さはどうして可能だったのか、歴史からひもといていくのだ。『定刻発車』によると、明治30年代は列車は相当遅れていたらしい。正確な着発にしたのは結城弘樹さんという人だった。彼は自分の受け持ち区間である軽井沢、直江津間で運転の正確さを徹底して追求し、その運動を日本中に広げた。今、中央線は2分間隔、山手線は2分半間隔で走っている。新幹線も5分、10分間隔でどんどん出発しているが、どこかで列車が渋滞したり、衝突することはない。流れのよさ、すなわちダイヤの組み方が「段取り力」の極致で構成されているからだ。

今はダイヤを作る作業をコンピューターも使ってやっているが、かつてはすべて手作業で行っていた。皆で旅館に泊まりこんで、いっせいにやったそうである。この正確無比のシステムの信頼性は、ダイヤを作るという設計段階で組み込まれるという。

列車のダイヤは時間的に広がりがあると同時に、空間的にも広がりがある。自分が乗る列車は一つしかないが、列車会社のほうは大量の列車を同時に動かしている。われわれが列車に遭遇するのは一瞬でしかないが、その同時刻に日本全国で膨大な数の列車が走っている。背後には想像を絶するような膨大な時間的、空間的な広がりが存在するのだ。

その壮大な計画を作るために、国鉄時代にはダイヤの白紙改正作業に2年も費やしたそうだ。すなわち、需要動向を把握し、編成方針を決定し、目の粗いダイヤを作って、設備投資計画に基づき設備装置を用意し、地域ごとの要望を調整し、詰めの編成会議ともなると100名近い関係者が缶詰になって寮や旅館に一カ月間泊まりこんだという。とにかく大変な作業だったわけだ。

こうした作業の中で、要求されたのがスジ屋と呼ばれるダイヤを組む専門家の存在だった。なぜスジ屋というかというと、彼らはダイヤを作るとき、線を引いて考えたからしい。過密ダイヤの中でも、何とか1本特急のダイヤの筋を引くことができないか、列車ダイヤをにらんで、筋を書き入れては消しゴムで消す。だからダイヤ用紙は非常に丈夫なケント紙を使っていたそうだ。

トラブルを吸収する「段取り力」

ダイヤは運行の時間割だから、段取りであるのは間違いない。ダイヤ作りの最も基本的な発想は、トラブルが起きたとき、列車がなるべく駅の間に止まらないようなダイヤの組み方をすることだったという。かなり高度な段取りである。単に列車がぶつからないよう走らせるといった生易しいレベルではない。トラブルがあったとき、影響を受ける電車すべての動きをシミュレーションして、作り出す。可変性のあるダイヤは回復しやすいという。この辺が「段取り力」としては奥深いところだ。

列車ダイヤに「スケジュール」ではなく、「段取り力」という言葉を使っているのは、融通が利くというイメージを大事にしたいからだ。完全にきっちり決まったものは融通が利かないので、トラブルが起きたとき、ダメージが大きい。精密機械のように一つが壊れたらすべてダメということになる。

しかし、現実には予測しないトラブルが起きるものだ。そのトラブルを吸収して、いち早く回復できるものがよいプログラム、すなわちよい段取りである。いくら緻密で完璧にできていても、トラブルにもろいプログラムではダメなのだ。これは電化製品にもあてはまる。すべて指でタッチする方式のスイッチだと、タッチボードが壊れたら全部動かなくなってしまう。しかし、指で一つ一つ押す力学的なスイッチだと、スイッチが一つ壊れても、故障はそこだけですむ。だから本当に大事な部分には力学的なところを残しておく製品もある。

つまり完璧に細かく組み込んでしまうよりは、ある程度フレキシブルに余裕を持たせておくことが大切なのだ。ダイヤにはトラブルが起きたときのために、あらかじめ代役のダイヤを基本ダイヤに組み込んでしまうこともあるという。

「直通運転をしている横須賀・総武線も、異常時には東京駅で折り返し運転することをあらかじめ想定したダイヤをつくっている。あるいはカゲスジといって、実際にそこには列車が走っていないのだが、あたかもそこに列車が走っているかのようにダイヤを組むこともある。そこに本当の列車を走らせるのは、盆暮れのラッシュ時であったり、ゴールデンウィークであったり、大イベントによる突然の需要増が起きた時であったりするわけだ。いま起きた需要増に対して急遽、臨時列車を走らせるのは、大変に複雑な作業である。しかし、カゲスジがあれば、すぐさま臨時列車が出せるのである（カゲスジは通常時はシステムの余裕として働く）。」（p231〜232）

「カゲスジ」とはなかなか渋い言葉だ。要するにそのカゲスジがあれば、すぐさま臨時列車を出せる。普通は、急に特急列車を1本入れようとしても入らない。特急列車は速いから、いろいろなものとぶつかってしまう。しかし事前に1本列車を通せるように作っておくと、非常に便利だ。またダイヤは毎日違うものが作られているそうだ。

「実は日本の鉄道では、年に一度のダイヤ改正とは別に、ダイヤは毎日毎日、違うものがつくられている。列車ダイヤには『基本ダイヤ』（年に一度改正されるダイヤ）と『実施ダイヤ』というものがあって、実施ダイヤは毎日違うのである。今日は線路の補修工事があるので、どこどこ線の、どこは徐行運転になる。その分、行き違い駅や待避駅は、このように変更するといったダイヤの修正は毎日どこかしらであるのである。こうしたダイヤの修正変更は、ＪＲ東日本で一日およそ二〇〇〇件にものぼる。」（p232）

読めば読むほど、列車が時刻通りに走っているのはありがたいことに思える。私たちは当たり前のように新幹線の時刻表を信用して、仕事のスケジュールを組んでいるが、その背後には恐るべきトラブルにも対処できる高度な「段取り力」が隠されていたわけだ。

前もってトラブルに対するシミュレーションができているのは、「段取り力」の理想といえる。段階を踏んで目的を達するのが普通の「段取り力」だとすると、**突発的なトラブルが起きたとき、回復できるようなシステムを作っておくのは、高度な「段取り力」だ。「トラブル吸収段取り力」とでも言えようか。これを持っていると強い。**

経験と技術の集積が高度な「段取り力」を作る

トラブルが吸収できるのは、ダイヤに余裕を持たせているからだが、その余裕はそれぞれ「○○屋」と呼ばれている専門家、たとえば土木屋、設備屋、機械屋、電気屋、通信屋、スジ屋といった専門家の技術を結集して成り立っている。それら数多くの要素、技術を統合する要の役目を果たしているのが列車ダイヤだということだ。

列車ダイヤとは乗客に対してはサービスの内容を保証する商品仕様書であり、鉄道企業にとってはシステムの設計図であり、現場の鉄道員に対しては具体的な輸送サービスの供給量や質を指定した生産指示書である。だからダイヤが持つ意味は、それぞれにとって違う。ダイヤが基本の骨格になっていて、その周りにそれぞれの立場に応じて細かな段取りがついてくるわけだ。

たとえば日本の鉄道は非常にきっちりした運行がなされているが、それは運転手たちの緻密な「段取り力」によって支えられている。運転手たちは、つねに速度や時間、次の駅までの距離を計算しながら運転しているので、東京〜新大阪間でプラスマイナス5秒、停車位置はプラスマイナス1センチの範囲内で運転できるのだという。また山手線の運転士の話として、『定刻発車』には次のようなエピソードが書かれている。

「何をしているのかと、よくよく観察してみると、ホーム先頭部に引かれた列車の停止位置を示す白線と、実際の停止位置とのずれを確認しているのだ。彼にはどうやら、一一両編成の列車が決められた停車位置から一〇センチばかりずれて停車していることが、気に入らないらしい。」（p121）

運転士にとって10センチは大きな距離で、1秒はつねに大きな時間であるということだ。時間と距離を体に覚えさせるイメージトレーニングをどのように行っているのかというと、「線見《せんけん》」といって、まず線路の下見をする。そして始点から終点まで、運転操作のプロセスとして把握する。

つまり運転操作の要所要所を、線路の状態や景色とともに詳細に記録し、頭に入れる。それを全区間、頭の中でトレーニングするのだ。五感をフル活用するから、夜間まったく見えなくてもダイヤ通り運転できる。大雨が降り、線路の状況が違っても時間ぴったりに運行できるのは大変に高度な技術である。それどころか、メーターを見なくても線路の音や体に受ける抵抗で、列車の速度や列車の混雑状況が分かるというからすごい。

いわば職人芸とも言える技能や気質は、指導員とともに合宿し、寝食を共にするという徹底したマンツーマン教育で教え込まれるそうだ。スパルタでもないのにきっちり伝わっているのは、とても教育力のあるシステムだ。

システムといえば、部品のシステムを直列ではなく並列につなぐことによって、全体の信頼性を上げるやり方も面白い。**直列につないでおくと、一つでトラブルが起きたとき、すべてがダメになってしまうが、並列的、あるいは並列と直列を組み合わせて作っておけば、トラブルが吸収できる。**

この並列性を、鉄道では人間の仕事の流れにも取り入れているという。その最も基本的なものは「指差喚呼《しさかんこ》」だ。安全を目で見て、指で指して、声に出して確認するやり方だ。同様に、鉄道員は連絡事項を必ず復唱したり、メモにとったりする。

「異常事態が生じ、実際に復旧のための作業に掛かるときにも、現場の作業員はまず気持ちを落ち着かせるため、一つ深呼吸をする（こういうこともマニュアルに書いてある）。マニュアルを目で見ながら、マニュアルを指で差して、声に出して確認しながら作業をする（マニュアルはむしろ覚えてはいけない。覚えると勘違いが起きる可能性がある）。作業の完了を確認したら、たとえば駅長に報告する。報告される駅長の側も、これを復唱して確認する。」（p180）

要するにそれだけのシミュレーションを行って、トラブルが起きたときに吸収できるような段取りを作っているわけだ。そこには、多くの経験と個々の技術の集積が溶かし込まれている。

2 「刑務所のリタ・ヘイワース」に見る長大な「段取り力」

段取りを意識することが上達の早道

スティーブン・キングの「刑務所のリタ・ヘイワース」（『ゴールデンボーイ』・新潮文庫）という作品も、「段取り力」を学ぶ上で面白いテキストだ。この作品は『ショーシャンクの空に』（1994年・米映画）というタイトルで映画化され、大ヒットしたからご存じの方も多いだろう。

30歳で大銀行の副頭取になった信託部門の責任者のアンディー・デュフレーンという男が、妻と間男を殺した罪で終身刑の判決を受け、刑務所に入れられる。だが彼は無実であり、自由を求めて最後に脱獄する。その脱獄までの段取りを描いた小説だ。

脱獄は人気がある主題で、スティーブ・マックィーンが主演した『大脱走』（1963年・米映画）も穴を掘っていくプロセスが実に面白かった。準備段階から実行まで明確な計画のもとに行われるという意味では、「段取り力」が際立つテーマだ。「刑務所のリタ・ヘイワース」の面白さは、主人公が刑務所にいながら、その中で一歩一歩自分のポジションを上げていくことにある。たとえば鬼看守と言われている人物に投資関係の指導をし、やがて所長にまで指南するようになる。相談に乗ってやることで看守と囚人という関係を変えてしまうのだ。その関係が決定的に変わった瞬間が小説に描かれている。鬼看守ハドリーのために彼が無料で書類を作ってやると申し出たときだった。

「おれたちがそこに見たものはおなじだった……感じたものもおなじだった。とつぜん、アンディーが優勢になったんだ。」（p63）

鬼看守は腰に拳銃、手に棍棒を持っている。さらに仲間や全権力が後ろに控えている。しかし関係が変わった。「男対男の一騎打ちで、アンディーはやつをねじ伏せたんだ」と書かれている。普通、囚人は管理されるだけだが、アンディーは看守側に自分の専門知識を提供することで、相手との関係を有利に進めていった。そして刑務所の中で図書館係になる。

「アンディーはブルックスの仕事をひきつぎ、二十三年間司書をつとめた。図書室をよくするために、バイロン・ハドリーに対して使ったのとおなじ意志力を使い、リーダーズ・ダイジェストの要約本とナショナル・ジオグラフィックの並んだ小さい一部屋を（一九二二年まで塗料室だったその部屋はまだ松脂《まつやに》のにおいがしたし、ろくに風もはいらなかった）ニュー・イングランド一の刑務所図書室へとだんだんに改良していった。」（p68）

どんな段取りで変えていったかというと、投書箱を設けて囚人たちの関心事を調べ、ブッククラブに手紙を書いて本を特別割引価格で送らせたり、皆が彫刻や手品やカードの一人占いといったホビーの情報に飢えていることを知り、趣味の本をたくさん集めたりしたのだ。

さらには、州議会に図書室予算に関する請願の手紙を送り始める。それはいつも判で押されたように却下されたが、１９６０年になって２００ドルの小切手が刑務所に送られてきた。州議会はこれを割り当てればアンディーが口をつぐむと考えたのだが、「とうとう片足がドアの中に入った」と自信を持ったアンディーは、さらに努力を倍増させ、毎週1通だった請願の手紙を2通に増やした。

この辺がなかなかうまいところだ。うまくいき始めたときは、そこで休まないことが大切である。普通は200ドルもらったら、めでたし、めでたしでやめてしまうものだが、アンディーは違った。ドアに片足を突っ込めたのだから、今度はドアを全部開けさせようとむしろ手紙を増やしたのだ。そして1962年には400ドルが届き、だんだん増えていって71年には1000ドルになっていった。

何事もそうだが、一つ道をつけるところまで到達するのが大変だ。そこまでが仕込みの段階で、あとは一度道がついたところを増幅していけばいい。道がないところに道を開くという質的変化を起こすまでが大変だが、しかしその質的変化も実は量的な蓄積の結果である。手紙を1回出すだけではだめで、毎週毎週、手紙を出し続けなければいけない。

この記述によると1954年から出し続けて、60年になって初めて200ドルが来た。毎週といえば膨大な数になる。200通を超える手紙だったろう。100通では効果がなかったが、200通を超えたときに相手がうんざりしたに違いない。そういう量的な蓄積があって、初めて質的な変化が起きたわけだ。

ここが非常に大事なところだ。段取りを意識することのよさは、先を見越しているので、反復する努力をいとわなくなることだ。**先が見えない努力はつらい。しかしこ**

れを続けていれば、必ず質的な変化が起き、少しでも変化すればそこを増幅すればいいと分かれば、反復も続けていける。これが上達の基本だ。

たとえば最初は自転車に乗れない、それがある瞬間乗れたとする。質的な変化が起きた瞬間だ。すると1回だけ乗れた瞬間を増幅すればいいのだから、あとは簡単である。まったくできないのと、1回できたことは大きな違いだ。そして初めて1回できたとき、これは100回のうちたまたま1回できただけだと考えるのではなく、「1回できた」を繰り返せば、100回できるようになる、というふうに考え方を変えていく。すると見通しが立つ。

段取りが見えてくれば、1回できるところまで持っていくために、反復してコツコツ努力を続けられる。そして質が変わったら、1週に1度を2度にする。この呼吸が事態を大きく変え「段取り力」を鍛えていくコツなのである。

根気や持続は見通しによって支えられている

なぜアンディーが図書室を充実させたかというと、刑務所にいる間に囚人たちが勉強し、社会復帰したときに、少しでもまともな職につけるようにと考えていたからだ。

事実、図書室の本を使って高校卒業の学力検定に合格した者が20人以上もいたという。それだけの見通しを持って、請願を続けたわけである。

そしてその実績を持って、図書室という自分の部屋を確保し、図書室を管理するポジションを得るのだ。もちろん、看守や所長に対して投資指導や税金対策、所得申告の代理も続けたから、刑務所内における彼のポジションはますます上がっていった。

その一方で何をやったかというと、セクシー女優のポスターを買い、自分の房の壁に貼った。小説の題名になった「リタ・ヘイワース」というのは、そのポスターの女優の名前である。刑務所内における彼の高いポジションがあったからこそ、そうした特権も許されたわけだ。

彼がポスターを貼ったのにはわけがあった。ポスターの裏の壁に少しずつ穴を掘っていたのだ。アンディーの特徴は根気が続くということだ。音がしないよう、少しずつ壁を削って穴を掘り、最終的に脱獄するのだが、図書室の予算を上げることにしても、穴を掘ることにしても、とにかく異常な根気強さが一貫している。

州議会に手紙を書き始めたときも、彼は同僚の囚人スタマスにこう言っている。

「アンディーは例のおちついた微笑をうかべて、スタマスにこうきいた。もしコンクリート・ブロックの上に、毎年一回、ひとしずくの雨だれが落ちるとして、それが百万年つづいたら、どうなると思いますか?」（p70）

このやり方が、彼の一貫したパターンだ。スタイルとしては非常にシンプルで、まず戦略、つまり仕事の段取りを決める。脱獄するにしても、壁のどの部分を掘ったら下水道につながるのかということを分かった上で、大きな戦略を立てる。それがなく、雨だれで一滴ずつうがっていっても、外に通じる下水道まで5センチなのか、5メートルなのかでは結果は大違いだ。だから最初の大きな戦略、つまり見通しは重要だ。その上でやることは、一滴方式というか、ひたすら続けることだ。すると必ず変化が起きる。無限に作業が続くわけではなく、どこかで穴があいて光が差してくる。だから、自分の決めた段取りを信じてひたすらやることができる。

続けるコツとは、段取りを遂行している最中は考えるエネルギーを無駄遣いしないということだろう。つねに考え続け、工夫するのもよい考えだが、一方で脳はエネルギーを消耗する。非常に意志力があると見える人でも、実は脳を使いっぱなしにしているのではなく、ある期間は自動運動している。

黙々と穴を掘り続けるアンディーの行為も意志の力でやっているように見えるが、

それは自分で決めたプログラミング、つまり段取りに乗っかってオートマティックにやり続けているにすぎない。掘っているときはある種の集中状態に入ってしまうので、趣味のようなものである。趣味だから、習慣として楽しんでやれる。

この小説にも、その象徴的なエピソードが書かれている。ある日、同僚のスタマスはアンディーからプレゼントをもらった。それは石英を丁寧に磨き上げた美しいものだった。その恐るべき根気のよさについて、次のように記されている。

「その箱の中には石英がふたつはいっていて、どっちもていねいに磨《みが》いてあった。どっちも流木の形にけずられていた。……（略）／そのふたつの作品をこしらえるのに、どれだけの労力がつぎこまれたんだろう？　消灯のあとの何時間も何時間もだ、それだけはわかる。まず割って形をととのえる。それからあのロック・ブランケットを使って、果てしない研磨と仕上げ。見ているうちに、どんな人間でもなにかきれいなもの、なにかコツコツと手で作りあげたものを――それが人間と動物とのちがいだとおれは思うんだが――見たときに感じるほのぼのとした気持ちになった。それと、もっとほかのことも感じた。あの男のおそろしい根気のよさに対する尊敬の念だ。」（p51）

目標を決めたら、あとは自動運動のようにやり続ける。すると一種の瞑想状態に入ってくる。この場合は石英がどんどん美しくなっていくから、気分もいい。趣味をやっている人は分かると思うが、段取りが分かっている仕事のうちのある工程は、脳が休まる。この場合は一つの精神安定にもなっていると思う。「段取り力」があって見通しがあるほどに、途中の作業はシンプルになる。

ヴィジョンをつねに意識しイメージを具体化する

段取りには仕込みという要素も大切だ。アンディーは起訴されるまでの間に時間があったので、その期間に自分の財産を確保している。ピーター・スティーブンスという架空の人物を作り、その人間のためにきちんと税金を納め、投資をした。一万四〇〇〇ドルからスタートして、最後は三七万七〇〇〇ドルまで増えたという。脱獄したあと、そのお金でメキシコのホテルを買い取って、悠々自適に暮らすという段取りだ。これは先を見越した楽しい物語である。段取りを組むときのヒントにもなる。アンディーはこんなふうに含蓄のある言葉を言っている。

「わたしは最善を願い、最悪を予想していた——ただそれだけだ。あの偽名も、自分が持っているわずかな資本を、ふいにしないためだった。わたしはハリケーンの進路から家財を運び出した。しかし、思ってもみなかったよ。そのハリケーンが……こんなに長くつづくとは」（p117）

彼は暴力で問題を解決しない。肉体的な強さが彼にはないからだ。あるのは段取りのすごさだけだが、皆はそれに舌を巻く。その意味では段取り小説というか、段取りが一つの魅力であり、セクシーでさえある物語だ。

段取りがいいということは、気持ちがいい。デートの段取りがよいというだけで、女性にとっては気分がいいもののようだ。ちなみに私は苦手だが、段取りのいい男性は非常にモテる。頼りがいがあるというのだろうか。

デートの最中、段取りが悪くあたふたすると、女の人はその男性に幻滅する。なぜなら、「私のためにこの男は何も準備をしてくれなかった。この人はもしかしたら、あらゆることにあたふたとするのではないか？　結婚しても、きっと行き当たりばったりの人生だわ」と思うからだ。しかしまともに仕事をしていたら、デートの準備にそれほどエネルギーを注ぐ余裕はないはずだ。女性の評価は逆だと思う。

アンディーの場合、デートという小さな段取りではなく、もっと壮大な「段取り

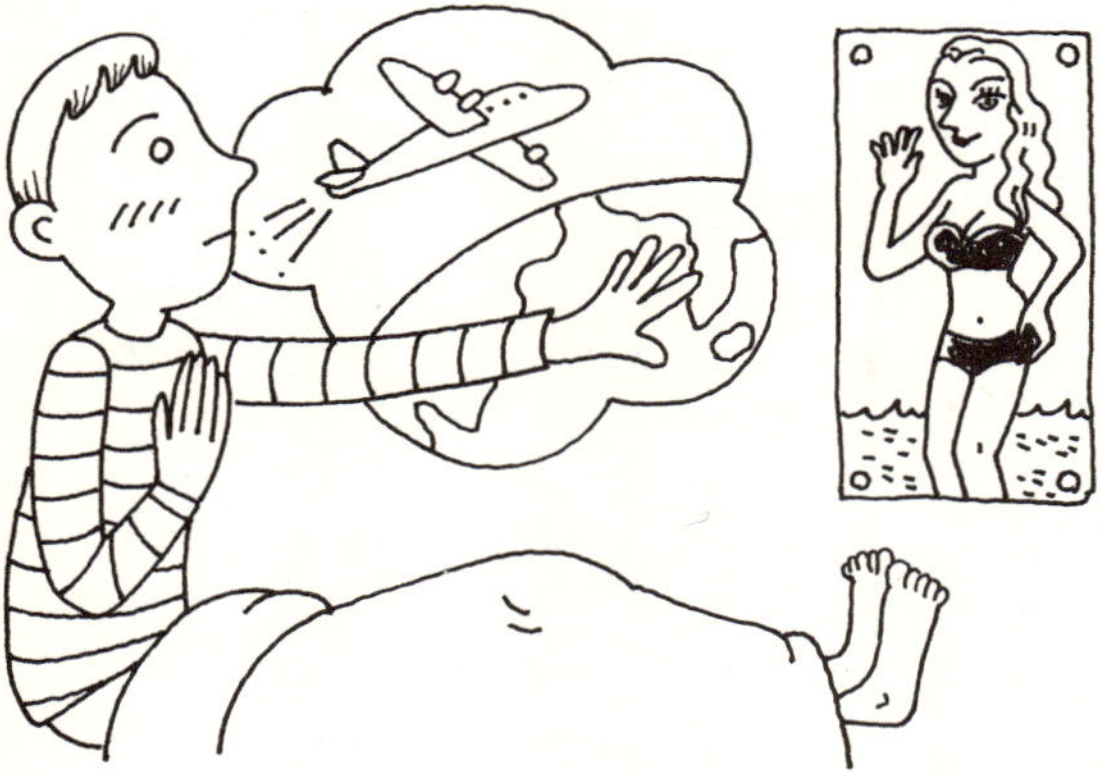

力」が人間的な魅力になっている。そこには、自分の実現したい夢やヴィジョンが明確にある。何としても脱獄して国境を越え、メキシコのホテルのビーチで太陽を浴びながら過ごしたい。そのために、海岸でポーズを取っている女優のポスターを貼っていたのだ。セクシーな女優が目的だったのではない。背景の浜辺の風景がよかったのだ。

そういう写真を見ながら、ヴィジョンを抱く。小学生が九九の表を壁に貼るのと同じで、ポスターは毎日見ていると、イメージが習慣化され定着する。アンディーはメキシコのあるリゾート地で過ごすという具体的なイメージを持って、そこに至るまでを逆算し、今やるべきことに関してはひたすらシンプルに事を進めていった。

ヴィジョンを明確にして逆算し、やるべきことを進めるのは、事をなし遂げるための鉄則だが、わりにできていないケースが多い。何のために何をやっているのかが分からなくなってしまうのだ。すると、もう駄目だ。自分は今、何のために何をやっているのだとつねに意識できる人間でないと大きなことは成し得ない。

「何のために何をやる」というのは根本的な「段取り力」だ。それがないと、努力しても的外れになってしまうし、努力が無駄になる。**だから「段取り力」を鍛えるやり方としては、今何のためにこれをやっているのか、ということを意識して口で言う、あるいは自分で意識化するということだ。人にそれを聞くようにしてもいい。**

たとえば、上司は仕事を覚えたての新入社員に向かって「今何のためにこれをやっているのか、最終形をどこに設定しているのか」を聞き続ければいいのだ。いちいち細かい指導をしなくても、部下に今何をしているか意味を聞いたり、今はどの段階にいるのか質問し、部下が答えられればいい。しかし細かいことに気を煩わせすぎて、消耗してしまうと結局何をやっているのか分からなくなってしまう。それが一番まずいことだ。

3 スポーツ選手に見る超人の「段取り力」

清水宏保の「感覚を意識化して研ぎ澄ます段取り」

スピードスケートの清水宏保選手と雑誌で対談をしたことがあった（『ターザン』2003年5月28日号）が、「何のために何をやっているのか」という準備について、彼の頭脳がクリアでびっくりした。彼は小学生のときから自分は今何をしようとしているのか、つねに意識していたそうだ。

彼によれば、腰の中のある感覚を使うと速く滑ることができるという。腸腰筋という筋肉らしいが、当時は誰も言葉でそれを指摘する人はいなかった。清水は感覚を研ぎ澄ませ、そこだけを意識化した練習メニューを組んでいったという。

彼は小学生の頃から自分で練習法を編み出していたというが、なぜそれができるのかというと、「自分はどの部分を何のために鍛えようとしているのか」という感覚がはっきり意識化できていたからだ。

人に言われたメニューで練習をしているだけだと、結果的に筋肉はつくが、筋肉の使い方までは分からない。練習器具を使ったトレーニングをしても、基礎体力はつくがそれをスケートに活かす回路がまだできていない。だから筋肉を全部鍛えたとしても、どの部分をどう使い、つなぎ合わせてスケートに活かすかはまだ分からない。

ちょうど部品を適当に作っておいて、それから機械に適当につなぎ合わせて動かそうとしても無理があるのと同じである。そうではなくて最終的にどういうつなぎ方をして、どういう動かし方をしたいから、そのためにはこの部分のこの部品はこうでなければいけない、という具合に作りこんでいかなければいけないのだ。

同じ筋力トレーニングをするのでも、使うための筋肉を意識してトレーニングするのと、とりあえずそのあたりの筋肉を鍛えてみる、というのとでは、最終的に使う段になったとき、大きな違いが出てくる。

ストレッチングや筋力トレーニングは、その部分を細かく意識化することで効果が大きく変わってくるそうだ。清水の感覚も研ぎ澄まされている。彼のソルトレイクシティ・オリンピックでの闘いを描いた『神の肉体　清水宏保』(吉井妙子著・新潮社)

を読むと、すさまじいまでの感覚の鋭さに驚かされる。彼はこう語っている。
「試合中に、ネックレスなどをしている選手たちを見ては『あんなもの身体につけて、よく重く感じないですよね。僕も練習の時はしますけど、でも試合になったら絶対に外す。たとえ一mgのものでさえ、コーナーなどでは凄く重く感じるんですよ』と言っていた。」（p117）
また靴に関しても、「靴の紐は使用して五日目のものが一番フィットする」とか、「はと目の位置を0・何ミリずらした」など、普通ではとうてい感じられないものが、筋肉を意識化することで認知できるということだ。

「『人間には、普段知覚しない筋肉がまだあるんですよ。腸を覆っている腸腰筋などもそのひとつかもしれない。知覚されていないから鍛えることはできないと思うかも知れないけど、そこに意識を集中させることによっていくらでも鍛錬することが出来るんです』……（略）……で、一度鍛えれば筋繊維が太くなるというか、面積が広くなるわけですから知覚しやすくなる。」（p142）

それがどんどん積み重なって、さらに感覚が研ぎ澄まされる。清水はマッサージを受けるとき、「そこの筋繊維の隣の裏側」などというリクエストの仕方をするそうだ。なぜそこまで知覚できたかというと、問題意識があるからだ。なおかつ、知覚するだけなら一瞬のあの感覚かなあと思う選手はいるかもしれないが、清水はそれを練習メニューにまで高めていく。そこを強調した練習メニューをやることによって、その知覚が鮮明になり、技になっていくということだ。

彼は昔から氷上をザーッと滑っていると、サボっていると思われることがけっこうあったと言っている。じっくりその感覚だけを確かめながら滑っているので、他の筋肉や感覚は全部休ませるらしい。すると外から見るとサボっているように見えたのだという。

4年後に照準を合わせる高度な「段取り力」

面白いのは「筋肉はずるくて賢い」という話だ。清水は1年にマッサージ師やトレーナーを何人も変える。同じ人だとマッサージやトレーニングの特徴を筋肉が覚えてしまい、効果が薄くなってしまうからだという。

「筋肉って、結構賢いんですよ。それにずるいし。何度も同じような負荷を与えていると、筋繊維に組み込まれた知覚神経が学習してしまって、それほど変化しなくなってしまう。だから毎年、トレーニングの内容は変えています。スポーツ選手が間違いを起こしやすいのは、自分に満足してしまって同じメニューを何年もずっとやってしまうとか、昔調子良かった頃のものをやってしまおうとするから、スランプに陥ってしまうんだと思う。常に新しいものに挑戦して行くと、それが自信にもなる。トレーニングで一番大事なのは、やったことによる自信を得ることなんです。」（p123）

世界記録を作ったときの話を対談でしてくれたのだが、その日はあまり勝ちたくないレースだったという。なぜならそのレースに勝ってしまうと、遠征に行かなければならない。彼はそろそろシーズンを終わりにしたかったので、レースに負けるつもりだった。そこで今までやっていたコンディショニングをまったく変え、普段と違うことをやってみた。速く滑らないようにサボりながら、いいかげんに手を抜いてやっていたわけだ。だがレースが近づくに従って、どんどん調子が上がっていくのが分かったという。

それでも無理をしないように8分の力で滑り始めたら、あまりにも調子がよくて、それでもほどほどで滑ろうと思っていたが、途中100メートルの記録があまりによかったので、一応がんばってみると世界記録が出たという話だった。

「筋肉はずるくて賢い」というのと同じで、同じ刺激に慣れてしまうと、最善の工夫だと思っていても、それが最善にならなくなることがある。違うことをやれば、筋肉も緊張感を持つし、感覚も鋭くなって、自分のテンションが上がってくる。**ワンパターン化したものではなく、常に組み替え、変化させ続けていくことが大切だ**と、その時分かったと語っていた。

だから、彼は一度決めた練習のやり方にもこだわらない。自分の感覚を研ぎ澄まし、その場その場でやり方を変えていく。毎日少しずつマイナーチェンジをするくらいのつもりで変えていくらしい。

これは高度な「段取り力」、つまりアレンジをしていく力と言える。アレンジすることによって緊張感を持たせ続けている。何しろ、清水の場合、オリンピックで勝つという目標がある。ソルトレイクシティ・オリンピックでは腰痛を抑えるために行った神経ブロック注射に失敗し、靴下も穿けないという状況だった。それでも一位と0・03秒差の銀メダルという成績はすごいのだが、0・03秒届かなかったのは何かを、次のオリンピックまでの4年間の課題にした。オリンピックの借りはオリンピックでしか返せないと彼は語っている。

4年間という時間は面白い。非常に長い時間だが、無限の時間ではない。きっちり準備すればそれなりに成果が出るが、失敗すると次は4年後になってしまう。スポーツ選手にとって、4年間の時間差は大きい。その間に全盛期を過ぎてしまうことが十分あり得る。

オリンピックは実に「段取り力」が問われるスポーツだと言える。毎日試合がある野球のようなスポーツにも「段取り力」は必要だが、4年後に勝つための「段取り力」はもっとすごい。

「欲しかったのは金メダルではない」という意識の高さ

普段の試合では勝てるが、オリンピックでは勝てない選手と、その逆の選手がいる。プレッシャーを力に換える勝負根性と、オリンピックに照準を合わせた段取りを組んでいるかどうかがポイントだ。清水選手くらいになると、さらにオリンピックで金メダルを取ることの向こうに目標がある。彼は長野オリンピックで金メダルを取ったが、「欲しかったのは金メダルではなかった」と言っている。彼が目指しているのは、まだ人類が到達していない感覚や力である。それを他の人に分かるような形で伝えるようにしたいと話している。

スポーツ雑誌の『ナンバー』で彼は次のように語っている。

「金メダルは、僕にとってあまり価値あるものではないと確信しました。僕の競技生活の目的は金メダルの獲得ではなく、金を獲るためのトレーニングの過程で、人間の潜在能力を引き出すことだということが、金メダルを獲った今、あらためて明確になりました」（『ナンバー』565号）

神経ブロック注射に失敗した後遺症で、彼は腰椎の5番目の骨を骨折してしまうのだが、彼はそんな状態で試合に出場し、リンクレコードまで出してしまう。普通なら一歩も歩けないはずなのに、彼の場合、筋肉が異常に発達しているので、腰椎の周りの筋肉が骨の代償作用をしているのだという。何ともすごい話だ。0・03秒差で負けたことについても課題を見つけたという。

「ソルトレイク五輪で、0・03秒差で負けてしまった意味を考えると言ったじゃないですか。その課題が見つかったんです。トリノに向けてのテーマは、神経回路の再生です」(同)

彼の左側太股の重要な部分の神経は、神経ブロック注射の失敗で死んでしまっている。そのため、左右の太股の太さは2㎝も違ってしまったそうだ。だが、清水のスポーツトレーナーはこう言う。

「安心してください。メインの神経回路が死んでもサブの回路を使えばいいんです。目的地に着くのに大通りが使えなくとも、裏道からでも行けるじゃないですか。そう考えてもらうと分かり易いですかね」(同)

それを受けて清水も言う。

「神経回路の新たな伝達方法を見つければ、脳血栓の人やリウマチ、膠原病、交通事故など神経系の病気の人たちの回復にヒントとなることが見つけられると思うんですよ。トリノまでに必ず掴んでみせますから」(同)

そして、「この挑戦に正確性や説得性を持たせるためにも五輪で金メダルは必須でしょう」と語るのだ。

問題意識のレベルが違う。神経系の病気の人たちの回復のヒントになるものを、トリノ・オリンピックまでに見つけるという。金メダルをとる目的が違うのだ。このくらいのレベルで生きている人はめったにいないので、目的に向けた準備も違う。あえてサボる時間も作るが、集中する時間も作る。気絶するまでトレーニングをする。誰も到達したことのない感覚から練習メニューを作り、それを組み替えていく。

日本で一番意識的でハイレベルな「段取り力」だと思う。

イチローの「らせん的に向上していく段取り」

同じくスポーツ選手のハイレベルな「段取り力」の例として、メジャーリーガーのイチローの話も引用したい。『ナンバー』576号に「イチロー屈辱の1カ月」という記事がある。2003年4月の1カ月間、イチローは非常な不調に陥った。打率は2割

5分。イチローとしては考えられないくらい低い打率だ。だが、イチローがこだわったのは打率ではなかった。

「30試合で30本のヒットというのは、もちろん、屈辱です。まぁ、2割5分という打率は別にどうでもいいんですよ、僕はそこにフォーカスはしませんから。ただ、30試合で30本のヒットというのは、とても納得できませんね。もう、ストレス溜まりまくりですよ」（『ナンバー』576号）

ヒットが出ないことに屈辱を感じていたのだが、なぜそんなことが起きてしまったかというと、オープン戦まで彼はとても調子がよかった。ヒットできると思うポイントが劇的に増えたそうだ。そのため、今まで手を出さなかったようなボールにまで体が反応してしまうようになった。その結果、試合では打ってはいけない球まで打ちに行くようになり、そのことでリズムを壊してしまったのだ。しかし5月には打率を戻しているので、調整ができたのだろう。

イチローの不調について、同じチームメイトの佐々木主浩が印象深いことを言っている。

「開幕してしばらくは、ギリギリまで引きつけて打ってましたね。わざと詰まらせていたみたいでした。……もともとの天才が、いろいろ考えているんだから、まあ、すごいですよ。」（『日刊スポーツ』２００３年５月15日）

５月に調子を戻したということは、イチローが違うレベルに到達したことを意味している。キャンプ中にステップアップする鍵をつかみ、それを広げていって、新しい技術に到達したのだ。シーズンが始まった当初はそれがアジャストできなかったので、調子が落ちたが、そこでまた折り合いをつけて、次のステップに行く。昔の技術も活かしながら、そこからもう少し上に行く。これは大変難しいことだ。

昔の技術でやっていてもそこそこは打てるわけだが、それだけだと相手も研究するし、もう一つ上に行けない。しかしもう一つ上に行こうとすると、一時的に昔の技術より下になってしまう。これはよくあることで、そこであわてて昔のやり方に戻すのではなく、螺旋的にスパイラルアップしていく見通しを持ってやるのが上達するコツだ。

イチローは、自分がどうして不調に陥っているか原因や事情がよく分かっているから、打席に立ったときも、どこで折り合いをつけて次のステップに上がるかつねに意識しながら、ボールに向かう。その辺の意識の高さはさすがだ。

日々組み替えていくハイレベルな「段取り力」と言えよう。

江夏の「ピッチングを熟知した配球の段取り」

「江夏の21球」（『スローカーブを、もう一球』山際淳司著・角川文庫）に描かれている江夏の話も面白い。79年、近鉄バファローズと広島カープの間で行われた日本シリーズ第7戦は、この日の勝負で日本一が決まる、まさに天下分け目の決戦だった。9回裏、4対3でカープが1点のリード。カープのピッチャーは江夏だった。ここを守りきれば、カープの優勝が決まる。しかし彼はノーアウト・フルベースのピンチを迎えてしまう。

ここからがすごかった。土壇場に追い込まれた江夏は、一球一球に意味を持たせて打者を三振に打ち取る。最後のバッターを三振に打ち取ったときは、その前に空振りを取った球と同じ軌道でそこよりやや下に沈む球を投げたが、それには布石があって、違うバッターのとき、江夏は同じ球でストライクを取っていたのだ。「この球は使える」という判断をして、彼は重要な場面でもう一度、同じ配球をする。すべては最後のバッターを三振に打ち取るための段取りだったと言える。

このように、マウンドでは江夏がピッチングの段取りを考えて一生懸命投げていた。一方ベンチでも、若いピッチャーにウォーミングアップをさせるという別の段取りが動いていた。その段取りのレベルが違う。つまり、江夏は目の前の打者を打ち取ることだけを考えていたが、当時のカープの古葉監督は、同点のまま延長にもつれ込んだ場合を考えていた。延長戦になれば、江夏まで打順が回ってくる可能性がある。カープはその裏まで守らなければならないので、江夏に代打を出さなければいけないことも考えて、ピッチャーを用意するという段取りを考えたわけだ。

しかし、江夏は若いピッチャーがウォーミングアップするのを見て、非常に腹を立てた。

「なにしとんかい。ここまで来てそれはないだろう」。これは誤解と言えば誤解だ。古葉監督は監督として実務的に段取りを考えただけだ。ところがピッチャーの段取りは一球一球、相手をどう打ち取るかを考えている。全体を大枠でとらえる古葉監督の段取りと、瞬間を判断する江夏の段取りが相いれなかったのは、当然だった。しかし、幸運なことにこの段取りの違いは、組織の力と即興的な出来事によって解決される。

チームメイトの衣笠が、マウンドの江夏に駆け寄ったのだ。「オレもお前と同じ気持ちだ。ベンチやブルペンのことなんて気にするな」。この一言で、江夏は救われたという。この一言で集中力がよみがえった。まず相手のスクイズを見破る。

「石渡を見たとき、バットがスッと動いた。来た！　そういう感じ。時間にすれば百分の一秒のことかもしれん。いつかバントが来る、スクイズをしてくるって思いこんでいたからわかったのかもしれないね。オレの手をボールが離れる前にバントの構えが見えた。真っすぐ投げおろすカーブの握りをしてたから、握りかえられない。カーブの握りのまま外した。キャッチャーの水沼が、多分、三塁ランナーの動きを見たんやろね。立つのが見えた……」（p57）

野球をやっている人ならわかるが、カーブの握りで外すということはとうてい考えられない。スクイズを外すときは、ストレートで外すものだ。しかも、あらかじめキャッチャーが立って用意しておく。急に外したら暴投になる。しかし、彼はキャッチャーが立ち上がるのを見て、カーブの握りのまま、スクイズを外すという神業をやってのけたのだ。

そして気落ちするバッターに対して、とどめの一球は、彼がこの日「使える」と判断した、内角へ沈んでいく勝負球だった。この21球目で最終打者を打ち取って、カープは日本シリーズ優勝という栄冠を手にした。スクイズを外したのは、段取りを超えた瞬間的な判断力だったかもしれないが、江夏が自分のピッチングについて熟知していなければ、ここまで完璧な21球を配球できなかっただろう。

自分が持っている球を活かすための配球、相手が今どういう気持ちでいるかを考えて、どこに勝負球を持ってくるかを判断し、その前の布石を打っておく。これがプロの読みであり、ハイレベルの「段取り力」というものだ。

プロの一流選手同士だと、打者とピッチャーで対話ができるという。ただ投げるのではなく、一球一球に配球の意味があって、それで対話が楽しめるものらしい。すごい世界だ。

4 アポロ13号に見る〝鬼〟の「段取り力」

人類史上、最も複雑な「段取り力」

１９７０年、月面着陸を目的にヒューストンから打ち上げられたアポロ13号は、宇宙空間で信じられない事故に見舞われる。酸素タンクと燃料電池、電力供給ラインが故障し、水の供給ができなくなった。この絶望的な状況を、地球の管制官たちと宇宙船の中にいる宇宙飛行士は力を合わせて乗り越え、無事地球に帰還する。『アポロ13号奇跡の生還』（ヘンリー・クーパーJr.著・立花隆訳・新潮社）は実際に起きたこの事件を克明に追った興味深い本である。

なぜこの話を取り上げたかというと、宇宙船で月に行くという壮大なプロジェクトを遂行し、かつ酸素なし、水なし、エネルギーなしという危機的状況下で無事地球に帰還させたという「段取り力」がすごいからだ。まさに〝鬼〟の「段取り力」と言える。立花隆はこう言う。

「有人宇宙技術はというと、いまだに日本はゼロである。アポロの成功から、もう四半世紀以上たっているのに、日本はあの時代のアメリカのまだ足元にも及ばないのである。単なる技術力だけでなく、アポロ計画のような壮大なビッグ・プロジェクトのマネジメント能力もなければ、まして、このアポロ13号で起きたようなとてつもない危機に対応する危機管理能力もない。」（p3）

宇宙に人を打ち上げ、無事帰ってこさせる技術は、人類が構築した中で、最も複雑な段取りだろう。これを数えていくと、膨大な量のステップがある。もちろんその中にはトラブルが起きたときのシミュレーションもある。通常のトラブルならその手順を踏めばいい。

しかし、アポロ13号に関しては予想もしないトラブルが起きてしまったため、シミュレーションにない手順を短時間で新たに組み直し、膨大な手順を再構築しなければならなかった。

宇宙船のすべてのデータが集まってくるのは、地上の管制センターだった。地上スタッフは宇宙飛行士以上に全体の状況が分かっていたので、帰還に向けてのシミュレーションを行い、新たに手順を再構築してマニュアルを作るのは地上スタッフが担当した。それを宇宙船にいる飛行士に伝達し、飛行士は忠実に実行する。つまり段取りを組むのは地上スタッフのほうで、宇宙船が無事帰還できるかどうかは、主に管制官の決断と「段取り力」にかかっていたのだ。

その手順の伝え方だが、宇宙飛行士の方はものすごく疲労しているから、一つ一つの手順を紙に書き、その文字を復唱しながら確認していくという最も原始的な方法をとったのである。

「『クルーにデータを送るときに何がだいじといって、正確性ほどだいじなものはない』。」(p157)

「この読み上げでマッティングリーがいちばん気にかけていたのは、疲労の極にあるスワイガートが、まちがいなくチェックリストを書き写すようにすることだった。マッティングリーは読み上げのスピードを落とすことにした。一行一行ゆっくりと読み、一行おわるごとに間をとり、スワイガートが復唱するのを待った。」(p158)

「オーケイ」「オーケイ」と確認しながら進めたが、チェックリストをすべて読み上げるのに3時間がかかったという。**読み上げて復唱する、という古典的な方法で、技**

術の最先端を行く宇宙船を操縦していたのが興味深い。

意外に面白かったのは、間違ってスイッチを押さないよう、大切なスイッチに大きく赤字で「NO」と書いて貼っておいたことだ。着陸船を切り離すスイッチが、支援船の切り離しスイッチのすぐ隣にあったらしい。支援船を切り離すとき間違ってスイッチを押してしまえば、自分たちがいる着陸船のほうが切り離され、宇宙の彼方に飛んで行ってしまう可能性があった。そこで最終手段として「NO」と赤で書いた紙を貼り付けておいたというが、ここでも最も原始的な方法がとられていて面白い。

とにかく、電気系統も燃料も酸素供給シ

ステムも故障した状態で、残されたシステムを使って宇宙船を帰還させなければならなかったから、ものすごく複雑な手順が必要だった。事前に想定されたシミュレーションにない手順だから、間違いが起こらないよう管制官はいくつもチャートを作った。

「ある作業のときはオンのままでよかったスイッチを、別の作業のまえには切らねばならない、というように、パワーアップの手順は全く複雑きわまりないものだった。この日の午前九時に、リフトオフ時の各スイッチのオン・オフ状態がどうであったかの記録がスワイガートに送られていた。いま管制官たちが手にしているチャートには、それと同じオン・オフ状況が印刷されていた。技術者たちは、これを『スクェア1』配列と名づけ、さまざまなチェックリストを作成する際には、つねにこの配列を参照基準とした。」（p123）

つまり基準になるチャートを作って、他の複雑な配列と付け合わせ、手順を書き込んでいったわけだ。チャートにして図化するのは非常に大切なことだ。文章や話し言葉ではだらだらとつながってしまい、区切りがはっきりしない。話を聞いていると分かったような気になるが、実際の行動はアナログ的というよりはデジタル的で、結局はボタンを押すか押さないか、スイッチをONにするかしないかだ。行動ははっきりしているのに、指示がだらだらしていると、前後関係が混乱することがある。しかも手順が20段階も30段階もあれば、もう覚えていられなくなる。

そのときチャートにして、はっきり項目分けしていくと分かりやすい。図式化することでやるべきことがクリアになる。**図式化の能力は「段取り力」の根幹をなすものだ。段取りができるということは図式化もできるということだ。**

藁人形スケジュールで危機を回避

「アーロンたちはこのチャートを使って、なすべきことの概略という意味で、彼が『藁人形スケジュール』と命名したものの作成にとりかかった。(『なぜ藁人形かというと、石をぶつけてかまわないもの、ということだ』というのが、アーロンの説明だった。)とりわけ、着水直前の電力配分の調整が最優先課題だった。宇宙船のどの部分を、いつパワーアップするか、いつ支援船と着陸船を切り離すか、こうした作業のそれぞれに、どれだけの電力を配分するかといったことが、この藁人形スケジュールに盛り込まれていった。」(p123～124)

要するにたたき台になるものを作って、そこに細かいものを盛り込んでいったわけだ。たたき台を「藁人形スケジュール」と命名したのが面白い。日本では藁人形は別の意味になってしまうが、この場合はラフなスケジュールという意味だ。

「アーロンの藁人形スケジュールはいたってラフなもので、いずれにしても多くの変更が加えられることになるはずだった。しかし、少なくとも、他の管制官がそれぞれ詳細なチェックリストを書き込むための枠組は、これが提供した。」（p124）

詳細なものを書くためのラフなたたき台を作ることが、段取りとしては非常に重要なことがここで分かる。アポロ13号の場合も、とにかくプランを立てておかないと、事態に圧倒されてしまう。プランがあっても圧倒されそうなのに、プランがなければ事態はどんどん進み、精神的に追いつめられてしまう。**ラフでもいいからとりあえず作っておいて、精神の安定を確保してから細かいところを微調整していく。そういう段取りだ。これは仕事を進めていくためには重要なことだ。**

私も仕事をするとき、どこまでやれば、その仕事を中断しても後戻りしないのかということをまず考える。

どこまでやっておくと、後戻りしないのか。あるいは休んで忘れてしまっても、すぐに次の段階の作業に取りかかれるのか、これがポイントだ。盛り上がって話しているときはテンションが高くなっていて、そのことについてよく分かっているので、要点をまとめておかなくても、次の日ならすぐに始められるが、それを半年おいたらゼロになってしまう。経験知や暗黙知は消えてしまうのだ。

それが消えないところまで形にしておくことが重要だ。つまりチャートにしておく。それも非常に細かな手順のチャートにしておくと、後戻りしない。本作りでいえば、章立てまでしか考えていないと、時間をおくとゼロになってしまうが、章の中の節や項目まで細かく出して、配列し直しておくと、半年、1年、間をあけても後戻りしないですむ。

チャート化できるまで煮詰めることが成功の秘訣

アポロ13号では、あらゆるアイディアを駆使して事態に対処している。地球の大気圏に突入する際、宇宙船に搭載されている月着陸用の着陸船を切り離さなければいけないのだが、それを切り離すはずの支援船をすでに切り離しているので、別の方法でやらなければならない。その方法が奇抜である。

「着陸船のハッチと司令船のハッチを閉めると、キャビンと同じ気圧の空気が、両者をつなぐトンネルの中に閉じ込められることになる。そこでドッキング機構を解除すると、『宇宙クシャミ』とでもいったものが起こり、トンネル内の空気圧で、二つのモデュールは引き離されることになる、というのだった。／ラッセルはこのアイデアが気に入った。」（p130〜131）

「宇宙クシャミ」とは面白い。まさにアイディアだ。段取りが壊れてしまったときは、アイディアによって新しい段取りを組み直すのだ。アポロ13号では実にさまざまなアイディアが登場する。たとえば水不足に対して、

「あるクルー・システム技術者が、宇宙服が水の詰まった毛管で縫われているのを思いだした。宇宙服の踵《かかと》の部分を切りとるだけで、まるで皮袋からワインを飲むようにして、この水を飲むことができるようになっていたのである。」（p133）

実際にはそこまでしないですんだが、宇宙服はいざというときのために、そこまで考えて作られていたのだ。自分たちがいる位置を測定する方法も面白い。コンピューターなど計器類が使えなくなったとき、スターチェックといって特定の星を基準に位置を割り出す方法があるが、アポロ13号が地球に接近したとき、その星が見えない位置にあった。そこで地球が明と暗に分かれる境界線、これを明暗境界線と言うらしい

り方をとった。

が、その線を利用して分度器のようなものを当て、自分たちの位置をチェックするや

これは、アポロ8号のときに緊急時の方策として考え出された非常に原始的で大雑把なやり方で、アポロ13号の飛行士たちはいちおうシミュレーションをやっていたらしいが、まさか本当にそれを使うことになるとは思わなかったらしい。しかしその練習をやっておいたおかげで、実際のトラブルの際も正確に位置を決めることができた。その他手動で六分儀を使い、星の観測データと実際の位置を計算してみたところ、誤差はすべてゼロだったという。

全体として言えることは、段取りのすごさである。トラブルが起きることをあらかじめシミュレーションして、徹底して準備してあり、かつ地上スタッフが危機的状況に対して新たな段取りの組み替えを行い、飛行士に指示するときは、明確な段取りをチャート化して伝えている。だからミスが起きない。地上の管制官がこれほどしっかり段取りを煮詰めておかなかったら、アポロ13号は無事地球に帰還できなかったろう。

恐ろしく複雑な手順をチャート化できるまで煮詰めることが、〝鬼〟の「段取り力」を成功させる鍵だ。

第三章

実践編　ケース別「段取り力」

1 収納・整理の「段取り力」

収納・整理は要・不要の判断がしやすい物から手をつける

収納や配置の段取りでまず最初に行うのは、残すのか、捨てるのかという決断だ。収納名人と言われる近藤典子さんの例（『近藤典子の快適！生活Gメン　収納編』レタスクラブ・SSCムック・SSコミュニケーションズ）で言うと、キッチンにあふれるたくさんの物を片づけるには、まず残す物と捨てる物を仕分ける作業から始める。その際、キッチンの場所別ではなく、物の種類によって分けることがポイントだ。

まず棚やシンク下、食器棚回りの食品を全部出す。賞味期限があって、要・不要で悩むタイプの人でも、迷う余地なく仕分けをすることができる。要するに片づけのウォーミングアップということだ。

私は片づけが苦手だが、一番恐ろしいのは生ゴミだということは知っている。食品

6

は必ず腐る。本や衣類はいくらあふれても深刻な事態にならないが、部屋のどこかに食べかけのものが残っていると、ウジがわいたり、ゴキブリが集まったり、大変なことが起きる。

私も学生時代、そういう経験があって、生ゴミだけはチェックする生活をしていた。冷蔵庫があるとついつい食品をためこむので、最後は冷蔵庫を靴箱にしてしまうという荒技に出た。生ゴミの元となる食品自体を置くことを放棄したのだ。よくそれで暮らせたと思う。

迷わず仕分けができる食品群が終わったら、次に、よく使っている物、使っていない物が判断しやすい調理器具に手をつける。そこがポイントだ。ただし、あくまでも物別に片づけていくこと。要するに頭の整理がしやすいのだ。その次に食器、雑貨の順に片づける。最後になぜ密閉ケースかというと、多くの人が必要以上のケースを貯めこんでいるので、残った収納スペースに合わせて調整しながら捨てることができるからだ。

最初に迷わず仕分けできる物からやり始める、これがキッチンや部屋の収納のコツだ。

これは、書斎や仕事場の整理法にも通じる。『「超」整理法』（野口悠紀雄著・中公新書）は、時間がたったら捨てるという原理だった。物ごとに寝かせておく期間を決め、その期限を過ぎたら捨ててしまう。トヨタの経営もその方式だ。一年に一度か二度しか使わない物はリースですませる。それが多少高いリース代であっても、いらない物、あまり使わない物は社内に置くなという方針だ。

「権利の上に眠れるものは、その権利を保障されない」という法律の格言がある。権利を保障されていても行使しないと権利を剝奪されるという意味だが、要するに整理・収納術においては、あまり使わなかった物は、いくらいい物でも捨てていくということだ。

これは紙の整理にも通じる。そのときは大事だと思ってしまっておいた資料でも、3年たってそれが出て来ると、全部いらない。3年間見なかったということは必要ないということだ。

身体知や経験知のしみ込んだものを優先する

もっとも、私は物を捨てる習慣のない家に育ってしまったので、やはり捨てるのが苦手だ。捨てずに物に埋もれていくことが、一種の精神安定になってしまっている。

人間にはすっきり整理されているほうが安定するという人と、物に囲まれているほうが安定する人がいる。私は家具メーカーの家に生まれた宿命か、家中を家具や物で埋めつくさないと安心できない。どこに引っ越しても部屋を家具でいっぱいにしてしまう。そのほうが落ちつくのだ。旅館に着くと、まず部屋に自分の荷物をばらまき、空間を自分の物で満たす将棋の羽生名人と同じだ。

しかし、物で埋めつくされているように見えても、なんとか暮している。よく使う物とほとんど使わない物に自然に分かれてくる。よく使う物をより磨いていくのはスポーツと同じ考え方だ。テニスで言えば、サーブやフォアハンドは毎回打たなくてはいけない。そういうものはかなり重要なよく使う器具のようなもので、技術を磨く必要がある。ところがバックハンドスマッシュは、10試合に1回も打たないような技術だ。私はその練習をせっせとやっていたことがある。今思うとまったく無駄なことだった。そういう無駄をせず、優先順位を決めて、そこに絞り込み、あとのものは切り捨てていく。整理整頓の基本的な原理はそこにある。

まず、許される時間の期限を物ごとに決める。食品の場合で言う賞味期限だ。要するにその場所を占拠していてもいい有効期限とでも言おうか。もらいものの食器のように、自分が欲しくて買ったものではない物に場所を占拠されているとしたら、そういう物は処分していく。**そして自分の身体知、経験知がしみ込んだ使いやすい物は大事にする。たとえ新品の物でも自分が使いにくければ捨て、古くても身体知がしみ込んだ物は価値があると考え、とっておくのがいいと思う。**財布でもいい物を買って長くもたせるのが賢いと思うのだが、それはその財布に使い方の経験知や暗黙知が全部つまっているからだ。そういう物を大事に残していくと、使うことによって経験が呼び覚まされ、自分にとって使いやすい状況がさらに作られていくのだ。

2 書く「段取り力」

まず3・3・3でテーマを絞り込む

私はものを書く前に、まずテーマをはっきりさせるために、自分の脳みそにあるものをテーマごとに全部吐き出す作業をする。それも人と話をしながら、紙に単語やキーワードを書いていく。1人でやってもいいのだが、自分だけで眠っている経験知を引きずり出すのはけっこう疲れる。人にいてもらうとテンションが上がって、ひらめきやすくなる。人と話すことで気づきを生む、「マッピングコミュニケーション」というやり方だ。

学者の中には、最初に結論となるテーマを決めて、そのテーマからトップダウン式におろしていく「ピラミッド方式」のほうが効率的だと言う人もいるが、私はカオス的に吐き出す作業のほうがクリエイティブだと思う。ピラミッド式にやっていく場合の脳みその働き方は、どうしても早く秩序に行きすぎてしまう。すると、とんでもないアイディアが入り込みにくくなってくる。

しかし最初は秩序を求めず、蜘蛛の巣のように、あるいはどこからでも繁殖していく菌類や地下茎という感じでイメージを増殖させていき、蜘蛛の糸の限界までイメージを出しつくしてから配列し直すと、飛躍したアイディアも取り込める。ピラミッド方式より時間はかかるかもしれないが、ひらめきや創造性が無駄にならない。

そしてネタを全部散らし終わったら、今度はそれを大きく3つのグループに分ける。あるいはその中のベスト3を選び出す。ベスト1ではなく3にするのは、1つに絞るとけっこうまともなものを選んでしまい、斬新なものが落ちてしまうからだ。3つという数に絞り込むことが必要十分条件だ。

それをキーワードにして、3つの章を立てる。各章は重なり合わない構成にするから、ちょうど柱が3本立っている形になる。柱が2本だと建物は倒れてしまうし、4本だとしっかり立つが、必要最小限ということで考えると、三脚のように3点で立っているのが一番シンプルで分かりやすい。

しかしその3本が直線状に並んでしまうと、つまり似たような柱を立てると、倒れてしまう。「努力」と「やる気」と「根性」のような立て方だ。一方「心」「技」「体」のような上手な立て方をすると、文章はしっかりする。

ここで注意したいのは、どんなものでも3つに絞り込むことが重要だということだ。5つに絞り込もうと思えば5つにできるし、2つにも1つにも絞り込めるものでも、3つに分ける。1つに絞り込むと抽象的になりすぎてしまうし、5つにするとメリハリがなくなる。とりあえず3という数字でまとめ上げていくことで、いらないもののグレードをはっきりさせることができるのだ。

そして、各章ごとに3節立て、さらに各節ごとに3項目立てるという具合に、3・3・3で分けていく。すべてが3つずつ機械的に分けられないときもあるが、いちおうそれを基本として、パソコン上に数字を打ち込んでおく。つまり、1－1、1－2、1－3、2－1、2－2、2－3、という要領だ。そして雑多に書いたマップの単語を、章や節にあてはめて配列し直す。マップのほうはアトランダムに空間的に散らばっているから、それらを順序立て、秩序立てるという作業をするわけだ。

そのとき、いろいろな項目が相互に重なり合わないように、似たような言葉はひとまとめにする。こうして、単語を章ごとに振り分けることができたら、あとはどこか

らでも、自分の書きたいところから書いていく。

1章から書き始めて順番に最後までを書くとなると、どこか自分が苦手なところが出てきたとき、詰まってしまう。そうではなく得意なところ、やりやすいところから埋めていく。ちょうどおいしいものから食べていくという感覚だ。すると、半分くらいはあっという間に埋まってしまう。ここまで来ればしめたもので、あとは最初から順番通り書いていってもいいし、章によっては興が乗ってふくらんでしまえば、それを分離させて、再構成することもできる。

拙著『読書力』（岩波新書）では完璧に項目を決めてやった。小項目主義というコンセプトでどこから開いても読める本にするためだった。『「できる人」はどこがちがうのか』（ちくま新書）のときは、徒然草と村上春樹の章を別立てにした。もともとはある章の一部に含まれていたのだが、その要素が大きくなりすぎて、一つの章に収めるよりは独立させるほうがクリアになると思ったので、別々にしたのだ。つまり育ちすぎた木を植え替えたわけだ。

このように流れの中で出てきた考えや、ふくらんできた要素を摘み取らないで育てていく構造にした上で、自由な発想がどんどんわいてくるような、つまり木が育って伸びていくような生き物の要素を組み合わせていくのが、書く段取りのいい例だ。

3色ボールペンを使えば、誰でも即書けるようになる

書くのがどうしても苦手という人のために、もう少し簡単に書ける段取りを説明しよう。

まず前提として、書く行為は読む行為と極めて親和性が高いことを認識すべきだ。だから書く段取りが苦手な人は、まず読む行為からスタートし、その延長線上に書く行為を置けばいい。

どういうことかというと、**まず本や資料を読んで、気になる部分や重要だと思う部分に3色ボールペンで線を引く。そして線を引いた部分を「かぎかっこ」で引用して、パソコンに打ち込む。**同時になぜそこに線を引いたのか、つまりなぜ面白いと思ったのかも書き込んでおく。すると引用+コメントである種のまとまりができてくる。引用だけで、全体の1、2割は埋まるだろうから、精神的にも安心する。

文章は最初の2割までがつらい。でも2割を超えてしまうと、マラソンと同じで途中からはリズムに乗っていける。走り出しのローギアーからセカンドギアーに切り替

えるところが一番エネルギーを使うのだが、そこのところを「引用」という形で人にやってもらえるのだから、これは楽だ。

どの部分を抜き出して引用するかは、その人の読みの力や経験と直結するから頭を使わなければならないが、それでも引用なしでゼロから書くよりはるかに楽だし、それについてコメントするのも比較的楽なはずだ。少なくとも、本はすでに文字になっているからコメントも文字にしやすい。

それに対して、一番困難で頭を使うのは自分の身の回りに起こった出来事を文字化し、面白おかしく書くことだ。しかし世間では、知的な本を上手に引用しながら書いたほうが、自分の身の回りの出来事を苦労して文字化するより高級だと評価する傾向がある。頭の働きとしては大したことがないのに、評価は高いのだから、引用したほうが絶対得である。

引用するテキストは1冊だけでは淋しいので、とりあえず3冊くらいは用意する。読みながら3色ボールペンを使って線を引いていけば、読んだということがすなわち書くことに直結していくので、安心して読んでいける。先の見通しも立つだろう。

また最後の落ちを決めて書くことも、書く段取りとしては重要なポイントだ。しめの一文や全体を要約する一文を思いつき、それを冒頭に持ってきてあとはそれを説明する、というやり方を私はする。最後に持ってくるのも一つの方法だが、忘れてしまうこともある。日本人の多くは前置きが長くなってしまう悪い癖があるので、なかなか本丸に行き着けない。最初に結論を持っていけば、途中で枚数がつきても大事なことはいちおう冒頭で言ってあるので、安心できる。つねに本丸から攻めるというのは書く段取りで大事なことだ。

文章を書くとき、どうしても作家のように一行書いては紙をくしゃくしゃにして、頭をかきむしるイメージがあるが、段取りとしては苦しい。**今はもうパソコンの時代だ。いくらでも挿入、分割、編集ができるのだから、最初の一行目から書かなくてはいけないということはない。**

作文でも最近は自由に感想を書くというやり方が主流だが、書くやり方をまったく教えないと、自由に書こうにも限界がある。むしろ昔のように、書く手順をちゃんと指導したほうがたくさん書けるのである。

私は子どもに作文指導をすることがあるので分かるのだが、自由に書けと言うと、書けない子は全然書けない。ところが準備作業をして段取りを組んでおくと、どの子もある程度は書けるようになる。その段取りとは、まず本を読んで3色のボールペンで線を引かせることから始まる。一番重要だと思うところは赤、重要だと思うところは青、自分が面白いと思ったところは緑で線を引く。そしてまず赤線を引いたところをノートに書き写させて、なぜ赤線を引いたか、理由を書かせる。次に緑のところを写して、なぜそこが面白いと思ったのか書かせていく。

どこが重要か線を引くことは、どの子にもできる。自分が面白かった部分に線を引くこともできる。もちろん、それを書き写すことも機械的にできるし、なぜそこに線を引いたかを説明することもできる。そこでまず口で理由を言わせ、それから作文を書かせると、どの子どもでも相当な分量を書くことができる。軽く原稿用紙4、5枚を書いてしまう子もいるくらいだ。普通にしていたら、そんなに書く子は出てこないだろう。

私は世の中の情報はすべて3色に分かれると思っている。このことは『三色ボールペン情報活用術』(角川oneテーマ21)に書いたが、どういうことかというと、赤は非常に重要な情報、青はまあまあ重要な情報、そして緑は客観的に見てそれほど重要な情報ではないが、自分から見て主観的に面白い情報である。それ以外の引っかからない情報はすべて黒として流してしまう。

私は本や資料を読むときは必ず3色ボールペンを持ち、線を引きながらチェックしている。活字を見ると、条件反射のように3色ボールペンでチェックせずにはいられない。なぜ色分けをするかというと、色は匂い、味、性別による識別などと同様、脳の一番原始的な部分に働きかけているもので、強く印象に残るからだ。

たとえば人と会ったとき、どんな人だったか、何歳くらいだったかは忘れても、男だったか女だったかは忘れない。色も同じだ。信号機がそのいい例だが、「行け」「注意」「止まれ」が文字だけで出ていたとすると大変危険だ。あれが「青」「黄」「赤」の色に分けられているからこそ瞬間的に判断ができる。**私は書くときも読むときも、できるだけ脳の根源的な部分に働きかける道具や手法を使うようにしている。**そのほうが思い出すのが楽だからだ。

トラブルに強い「3」の段取りを作る

話は横道にそれるが、「3」という数字の持つ意味は大きいという話を、大工道具を作っているメーカーの人に聞いたことがある。たいていの製品はSMLの3種類を

作っておけば大丈夫なのだそうである。1種類、2種類だけでは少なすぎて苦情が来るし、4種類、5種類に増やしていくと、メーカー側が大変になってしまう。SMLと3種類用意しておくと、消費する側も作る側も両方のニーズを満たせるという。段取りもとりあえず「3」の概念で大づかみにとらえておくと、いろいろな状況に合わせて対応できる。つまりトラブルに強い段取りが組めるわけだ。

トラブルはつねにある。完璧に段取っていても、何かのアクシデントで急に仕事が中断されたり、病気になったり、いろいろなリスクが考えられる。トラブルが起きたとき、すぐに修復できる強い段取りを組む力が大切だ。そのためには細かな段取りや順番にとらわれないことだ。ミクロなことにこだわると、そこで滞って次に進まなくなってしまう。そういうものはすっ飛ばして、とりあえず骨だけしっかり押さえておく。

これは試験の勉強法と同じだ。配点の軽い最初の問題でつまずいて時間をとられてしまうと、肝心の配点が高い問題まで行き着けない。そうではなくてイメージとしては、三脚を立てるように大事なポイントを押さえて、そこから細かい部分にらせん状に進んでいく。

もし途中で倒れたとしても、三脚の基礎部分は残るだろう。それがトラブルに強い段取りだ。つまり「段取り力」とは時間的な順番を作るというより、むしろ重みづけが中心になる。

3 コミュニケーションの「段取り力」

空間配置と「偏愛マップ」を意識する

何人か知らない人が集まる会議があったとする。段取りとしてはまず最初に自己紹介をするだろう。そのとき紙に自分の席から見た空間配置と名前、所属、特徴を書いておけばいい。しかし、これをする人が少ないのにはいつも驚かされる。空間配置をメモしておかないと、一周回った時点で誰が誰だったか分からなくなってしまう。それでは自己紹介の意味がない。

大切なのは、空間配置で認識することだ。名前を縦に順番にメモしていくだけではイメージがわきにくい。とても面白い意見が左のほうに座っている人から出た、というように空間は色や匂いと同様、認識されやすい感覚である。人をまず自分から見た空間配置で認識し、名前と配置を書いてその人の意見を名前の近くにメモしていくと、誰からどんな意見が出たのか、が分かる。名前つきでその人の意見を引用しながら話をすれば、対話が一つの織物のようになる。まずは相手の存在をきっちり認知することが、コミュニケーションの段取りのスタートだ。

そもそも座るときに空間の配置が大切で、最初に机が並べられたままの状態で始めてしまうと、非常に効率の悪いままで会議をすることもある。大きい会議室でお互い3メートル以上離れて会話をするのはかなり苦しい。中身を濃くしようと思っても無理だ。そういうときはもっとコンパクトに座り直すよう、最初に配置を組み替える。それが段取りとしては大切だ。

要するに、ポジショニングの感覚だ。座る位置は大きな構造と言える。そこがエネルギーの有効利用にとって一番重要なポイントだが、多くの人は机や椅子を動かさない。前の人が使ったままの状態で始めてしまうが、**その配置は自分たちの人数や組み合わせや、やるべき仕事の質から見て最適とは限らない。いつも自分の都合のいいように、配置を組み替えることが重要である。**

さて会話が始まったら、最初は相手の好きなものについて語る。人は自分の好きなものに対して語るのは楽しい。私は自分の授業で、お互い自分の好きなものをぎっしり書いた「偏愛マップ」を作らせておいて、それを相手に見せながら話をする方法をとっている。

するとお互いに好きなものについて聞きながら会話をするので、つねに笑顔が絶えない。初めて会う人同士でも、数分でかなり楽しい会話ができる。これがないと「よろしくお願いします。えーと、何から話しましょうか」ということになるだろう。「偏愛マップ」は潤滑油というか、最初に会話の滑りをよくするシートのような存在だ。

現実の対話では互いに「偏愛マップ」を出し合わないが、そういう紙が相手の中にあることが分かっていれば、それに糸を垂らしてみることはできる。何本か糸を垂らしているうちに、そのうちの一本に魚がかかってくれば、対話の糸口になる。そういうイメージで好きなものについて語り合うことが、コミュニケーションの段取りの基本だ。

食事をしながら対話をするのは、その典型例だ。食事は、次から次へと出てくる食べ物が共通のテキストになる。共通の経験をしているものに対して語るということで、きっかけがつかめるのだ。

4 仕事の「段取り力」

1日を90分のブロックで区切り、3色に分類する

私の手帳を見ると、予定が3色に分けて書き込んである。つまり私の仕事のやり方は1日を3色に分けているのだ。緑のない1日はつらい。緑というのは自分が楽しいと思う仕事、または遊びだ。どうしても外せない用事、たとえば講演会など行かないと人に迷惑をかけてしまう仕事は赤で書いてある。「まあ大事」といったレベルの用事は青だ。青、赤、緑の配分を上手にすると仕事はかなり進むようになる。

それから仕事や用件をブロックで区切ることも、効率的に仕事を進める上で重要だ。だいたい1時間半くらいのブロックが適当だろう。授業も90分、つまり1時間半がほとんどだが、そのくらいが集中力が続き、かつまとまった仕事ができる最適な時間だと思う。そのブロックを1日のうちでいくつかに割り振り、ブロックごとに赤、青、

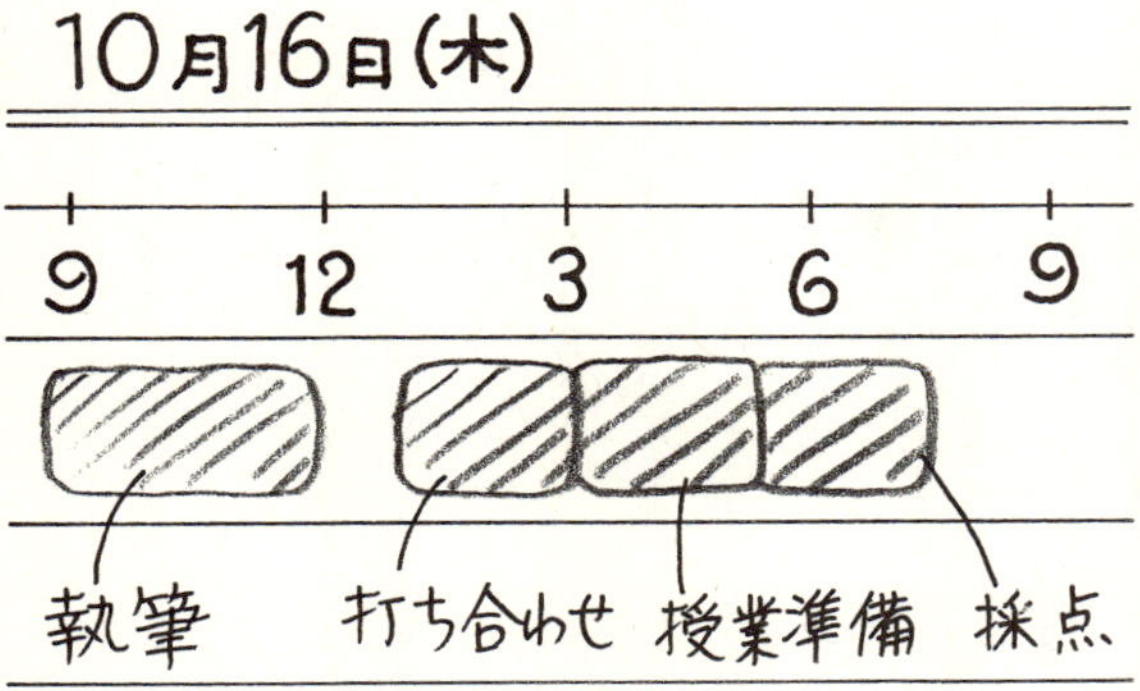

緑で囲んでいく。

そう考えると、時間割はなかなか優れた考え方だ。私たちは学校教育でずいぶん鍛えられているが、時間割は馬鹿にできないパワーを持っている。たぶん時間割を持っている民族と持っていない民族が戦争をしたら、持っている民族が勝つのではないかと思う。

私たちは時間に縛られない自由な感覚をつねに求めているが、しかし段取りよく物事が進むと気分がよく、自由な感じを味わえる。つまり上手に時間が割り振れると、とても快適で自由な気持ちになれるというわけだ。

たとえば1日実働12時間あったとして、

それをブロックごとに分けないでずっと1色でやってしまうと、意外に人は仕事をしない。切迫感がないので、最初の5時間くらいはさぼってしまう。その結果、予定の仕事のいくつかはその日のうちにこなせないことになってしまう。

しかし時間割りのようにブロックごとに分けておけば、さぼっていると次のブロックの仕事が来てしまうので、そこまでに一応のけりをつけなければならない。けりをつけるとは後戻りしないところまで進めて仕事を終えることだ。**けりさえつけておけば、ブロック内で完全に仕事を終えることができなくても、次の機会にまたそこから再開することができる。**

段取りというのは階段を上っていくようなものだから、下がらないところまで進めておかないと、沼地のようにずぶずぶと沈んでまた最初から始めなければならない。それではまずいので、仕事をいったんレジメ化してそのブロックを終えるのが、けりをつけるということだ。

たとえば考えた項目を構造化して、章だけでなく、もう少し細かい内容まで詰めておく。すると、それから1、2週間、間があいても、思い出すきっかけがその項目にたくさん入っているので、継続して仕事に取りかかることができる。

フォーマットを作る

フォーマットを作る強さと仕事の「段取り力」は、密接に関係している。何かについて一生懸命取り組んで成功したら、そこからフォーマットを引き出すということだ。仕事は最初に一つやり遂げることが大変だ。新しい体験はあまりにも効率が悪い。

段取りとしては最初の1回目はチャレンジと割り切り、脳みそを使い果たして一つ結果を出す。それができたら、次は別のものを入れて、同じ作業をやってみる。すると今度は格段に速い。半分以下、場合によっては3分の1くらいの速さでできてしまう。そこでうまくいったら、その成功体験を型にして材料を入れ替えてみる。するとどんどん速くなっていく。フォーマットを出すまでが大変だが、一度できてしまえばあとは無駄が少なく資料集めができる。

情報はある程度見通しを持って集めないと、よけいなものまで集めてから整理して考えることになり、効率が悪い。**仕事の段取りとしては、まず自分たちに必要な情報とは何かについて追い込むことが大切だ。次に集まるときには、分担して絶対必要な情報だけを持ち寄る。**つまり情報の精度を高めていくのだ。精度の高い情報なのか、そうではないのかは情報の側にあるのではなく、こちらの意図にあるわけだ。

こちらのデザインがはっきりしていれば、そこにはまるべき情報の条件がはっきりする。その条件に引っかかったものだけをザルのように取っていくことができる。情報を集めるときの基準をクリアに共有してやるのが、仕事のコツだ。

5 会議の「段取り力」

具体的かつ本質的なアイディアを出す

会議は複数の人とやるので、お互いに時間を調整するのは大変だから、一緒に会った時間は純粋に作業にあてるべきだ。あらかじめ共通したテーマに関する材料を持ち寄り、その場で材料をあれこれ動かしながら進めていくのが会議である。その貴重な時間を「これからどうしていこうか」という手続き的な確認で浪費するのは時間の無駄だ。あるいは共通のテキストやネタがなく、言葉を空中でやり取りしているだけではほとんど前に進まない。

そういうときは最低限、2人か3人の間に紙を置くか、ホワイトボードを使う必要がある。**文字は非常に優れた性質を持っているので、作業を定着させるためにはホワイトボードを使って会議をするのが基本だ。**皆が何かを共有して次に行く。そこで出

たアイディアに軽重をつけ、今日の収穫はこれとこれといった具合に確認しあい、今日は貴重なアイディアが1つ2つ出たから、この1時間半は収穫があったという終わり方をするのが、建設的な会議の段取りだ。

これを間違うと、記録が議事録のようになってしまう。議事録は必要なときもあるが、少なくとも会議の前に読み上げる必要はない。よく「これは前回の議事録です」と言って、愚にもつかない意見も全部入っている議事録を延々と読み上げることがあるが、これは時間の無駄だ。多くの会議や会合は、意見を残そうとするから駄目なのだ。これは私の持論だが、**意見を言っている暇があればアイディアを出せ、**ということだ。反対意見を言うなら代替案を出してほしい。

物事はつねにアイディアで乗り越えていかなければならないものだ。それが分かっていればねらいがはっきりするので、作業に無駄がなくなる。現実を乗り越え、課題をクリアするアイディアをどう生み出すのか……人がわざわざ集まって会議を開く目的もすべてそこにかかっているわけだから、ぐだぐだと状況を説明したり、一般論を述べたりする時間が無駄だということが分かる。

そういう意味では会議をするときの段取りは、具体的かつ本質的なアイディアを出していくというねらいをはっきりさせることだ。図①の座標軸を見てほしい。Aゾーンが具体的かつ本質的なゾーンで、ここが求められるアイディアのストライクゾーンだ。Bゾーンは具体的かつ瑣末なアイディアで、これは脈絡のない思いつきや情報のようなもの。たとえば報告事項の類がこれに該当する。

Dゾーンは本質的かつ抽象的なもので、単なる意見の類がこれに該当する。**会議では具体的かつ本質的なAゾーンのアイディアをたった一つでもいいから出す。それが出せれば、その一打ですべてが変わることもある。**そういうアイディアが出せれば、会議の意味がある。

図①

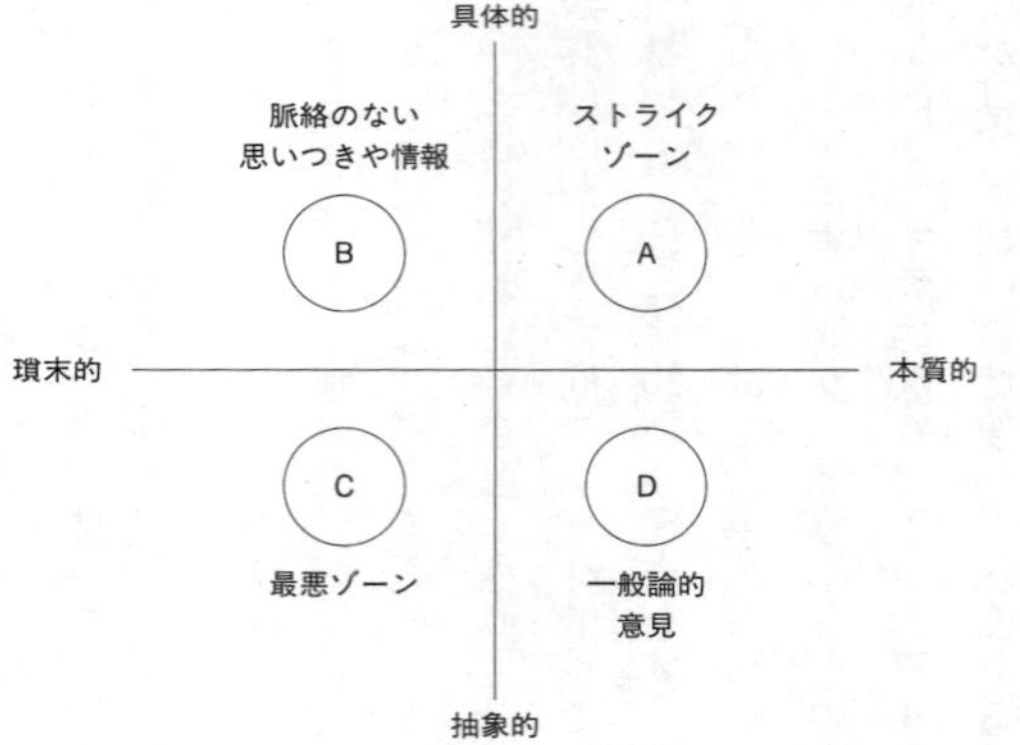

子どもたちに読書を勧めるには?

これは余談だが、私は子どもたちに読書を勧める会議に参加したことがある。そこで出されたのが、「なぜ読書をしなくてはいけないか、を考えよう」という意見だった。私に言わせれば「これは読書を推進するために作られた会議なんだから、そもそもそういう議論は省いて出発するものではないか」ということだった。だがその人は「読書なんかしてもしなくても関係ない」という意見で、なかなか私の言うことを分かってもらえなかった。

結局、私は読書を勧めるために「通知表に読書欄をつける」というアイディアを出した。それがどれほど画期的なアイディアか分かるのは、マーケットにさらされている人だろう。ある人は「ＰＴＡの意識を高める」という意見を出したが、いったいどうやってＰＴＡの意識を高めるのだろうか。常に必要なのは具体案だ。

通知表に性格、素行の欄があるように、あるいは教科の欄があるように、読書の欄を設けたら必然的に親の意識が変わる。教師の意識も変わる。意識を高めようとか、がんばろうという抽象的なことではなく、その一手を打てば、すべての意識が変わっていくのだ。その具体的かつ本質的なツボを探すために脳みそを使うのだ。

しかし私の意見に対して、「そういうことは強制的だから危険がある」とか「安直だ」と反対意見が相次いだ。「影響がありすぎて、しかも安直である」。最高のほめ言葉だ。何が悪いのだろう。会議に出ていた数学者の藤原正彦さんは「そのアイディアさえ出せればよかったのに、どうして今まで気がつかなかったのだろう」と言ってくださった。アイディアを批判するのは簡単だが、それでは何も生み出さない。アイディアの批判は、別のアイディアを出すことによってなされるべきだ。

どのアイディアが具体的かつ本質的であって決定打になるのか、分かるセンスも必要だ。それがあればアイディアを思いつくことができる。仕事とはそういうものだ。

第四章

「段取り力」とは何か

1 「段取り力」の効用

「段取り力」は周囲の人に利益をもたらす

「段取り力」という言葉は、これまでの日本語になかったものだ。しかし職人の世界では昔から「段取り八分」というように、段取りを表す言葉が存在した。**物事は八割が段取りで決まるという意味で、一般の人たちの間でも普通に使われていた。つまり段取りが大切だという考え方は、昔の日本人には共通していたのだ。**今のような情報社会だと情報を組み合わせていくだけで体を使うことは少ないので、はっきりした段取りが見えにくい。しかし、昔の仕事は肉体作業が多かったから、段取りが見えやすかったのだろう。

幸田露伴の『五重塔』には「のっそり十兵衛」という大工の棟梁が登場するが、あまりに見事な「段取り力」が描かれているので、ここに紹介してみたい。

「材《き》を釿《はつ》る斧《よき》の音《おと》、板削《いたけず》る鉋《かんな》の音《おと》、孔《あな》を鑿《ほ》るやら釘打《くぎう》つやら丁々《ちょうちょう》かちかち響《ひびき》忙《せわ》しく、木片《こっぱ》は飛《と》んで疾風《しっぷう》に木《こ》の葉《は》の飜《ひるが》へるが如《ごと》く、鋸屑《おがくず》舞《ま》って晴天《せいてん》に雪《ゆき》の降《ふ》る感応寺《かんのうじ》境内《けいだい》普請場《ふしんば》の景況《ありさま》賑《にぎ》やかに、紺《こん》の腹掛《はらがけ》頸筋《くびすじ》に喰《く》ひ込《こ》むやうなを懸《か》けて小胯《こまた》の切《き》り上《あ》がつた股引《ももひき》いなせに、つつかけ草履《ぞうり》の勇《いさ》み姿《すがた》、さも怜悧気《りこうげ》に働《はたら》くもあり、汚《よご》れ手拭《てぬぐい》肩《かた》にして日当《ひあた》りの好《よ》き場所《ばしょ》に蹲踞《しゃが》み、悠々然《ゆうゆうぜん》と鑿《のみ》を砺《と》ぐ衣服《なり》の垢穢《きたな》き爺《じじ》もあり、道具《どうぐ》捜《さが》しにまごつく小童《わっぱ》、頻《しき》りに木《き》を挽《ひ》割《く》日《ひ》傭取《ようと》り、人《ひと》さまざまの骨折《ほねお》り気遣《きづか》ひ、汗《あせ》かき息張《いきば》るその中《なか》に、総棟梁《そうとうりょう》ののつそり十兵衛《じゅうべえ》、皆《みな》の仕事《しごと》を監督《みまわ》りかたがた、墨壺墨《すみつぼすみ》さし矩尺《かね》もつて胸三寸《むねさんずん》にある切組《きりくみ》を実物《じつぶつ》にする指図命令《さしずいいつけ》。斯様《こう》截《き》れ彼様《ああ》穿《ほ》れ、此処《ここ》を何様《どう》して何様《どう》やつて其処《そこ》に是《これ》だけ勾配《こうばい》有《も》たせよ、孕《はら》みが何寸《なんずん》凹《くぼ》みが何分《なんぶ》と口《くち》でも知《し》らせ墨縄《なわ》でもいはせ、面倒《めんどう》なるは板片《いたきれ》に矩尺《かね》の仕様《しよう》を書《か》いても示《しめ》し、鵜《う》の目鷹《めたか》の目《め》油断《ゆだん》なく必死《ひっし》となりて自《みずか》ら励《はげ》み、今《いま》しも一人《ひとり》の若佼《わかもの》に彫物《ほりもの》の画《え》を描《か》き与《や》らんと余念《よねん》もなしにゐしところへ、野猪《いのしし》よりもなほ疾《はや》く塵土《ほこり》を蹴立《けた》てて飛《と》び来《き》し清吉《せいきち》。」

棟梁の仕事は、全員が効率よく動けるような段取りを組むことである。そこには最終的な設計のヴィジョンがある。個々の職人は必ずしもそれを知らなくても、棟梁にはヴィジョンが明確に見えていなければいけない。『五重塔』には、棟梁が「五重塔」

を建てるという明確なヴィジョンのもとに、1人1人に仕事を割り振り、全員が無駄なく動くさまが描かれている。体力のないじい様はじい様なりの仕事をし、活きのいい若者は若者に見合った力仕事をする。皆が活き活き動いているさまが目の前に見えてくるようだ。

1人1人がうまく働けているときは、皆が気持ちがいい。爽快感がある。仕事であるにもかかわらず、楽しいスポーツをしたような気分になる。それは棟梁の「段取り力」が優れているからだ。しかしボスの段取りが悪いと、先を見通すことができないので、うまくエネルギーを仕事に変えていくことができない。

勉強でも仕事でも良循環に入れないケースの最大の問題は、エネルギーをうまい形で吐き出せない不完全燃焼感だ。「いらいらする」とか、「もやもやする」という感じは、うまくエネルギーを出せない状態、あるいはエネルギーを出しても、それがまったく形にならない徒労感があるからだ。

さんざんアイディアを出せと言われたが、実際提出してみるとそれが採用されないどころか、上司の机の中にそのままお蔵入りになっていることがある。そんなときは誰でも徒労感を覚えるだろう。それは自分のエネルギーがしっかり形になったのが見えないからだ。**エネルギーを形にする最大のポイントが「段取り力」である。段取りが悪いとせっかくのエネルギーが漏れてしまい、ざるに水をこぼすような徒労感に襲われてしまうのだ。**段取りは棟梁、つまりリーダーが考えなくてはいけない。逆に言うと、「段取り力」のある人がリーダーになるべきだ。

リーダーとは、必ずしも個々のことすべてにおいてスペシャルにできる人でなくてもいい。いろいろなスペシャリストを上手にまとめ上げ、コーディネートして一つの形を作っていける人であればいいのだ。これがプロジェクトリーダーの資質である。プロジェクトリーダーといってもＮＨＫの『プロジェクトＸ』のようなものすごいものを作る人ばかりではない。日常のちょっとしたことでもいいのだ。たとえば何か人と集まる会をするとき、そこに優れたリーダーがいれば、楽しい時間が過ごせるだろう。

これは余談だが、わが家の狭いマンションで、私の友人たちがパーティを開いたことがあった。『バベットの晩餐会』（ちくま文庫から小説が出ている）のビデオをワインを飲みつつ鑑賞し、その後ニーチェの勉強をしている人の話を聞いて、みんなでわいわい話をするというサロン的な集まりだった。それを非常に散らかっている私の家で、突如、催すことになったのである。発案者である私の友人は、連絡用の手紙作りから、当日の時間割、セッティングまで見事に仕切ってくれたので、当日は初めて会う人たちも相当数いたが、それなりに盛り上がりを見せて、とても面白い集まりになった。

もし私の友人がプロジェクトリーダーとして発案して時間を組む、という「段取り力」を発揮してくれなかったら、そういう経験を誰もできなかったに違いない。そのときは20人近く集まったと思うが、1人優れたプロジェクトリーダーがいることで、参加者全員が非常に有意義な時間を持つことができた。それが「段取り力」の素晴らしいところである。

今回、この本で「段取り力」を取り上げたのは、「段取り力」が自分1人の利益のためではなく、自分の周りの人たちにも利益をもたらす素晴らしい力だからだ。そういう人が1人いるだけで、その人の周りの人はエネルギーを上手に放出でき、楽しい時間を過ごすことができる。それが「段取り力」の効用である。

「段取り力」さえ鍛えれば、人生の危機を回避できる

仕事がスムーズにいくということと充実した時間を過ごすことは、必ずしもイコー

ルではない。すべてがトントン拍子に進んだからといって、それがとても有意義な経験になったり、満足のいく時間になるのかといったら、そういうわけでもない。

ここでなぜあえて「段取り」という古臭い言葉を使うのかと言うと、この言葉には「大きな骨組みを作る」というニュアンスがあるからだ。

分刻みの細かいスケジュールを立てて、それに従ってギチギチに動いているのは、段取りがいいと言うのとはちょっと違う。段取りと言ったとき、そこにわき上がるのは「骨組みを押さえておいて、あとは融通が利くように余白を残しておく」というイメージではないだろうか。ぎっちり計画を立ててしまうと、余白に生まれてくるものがあらかじめ排除されてしまう。これは大変もったいないことである。

シンポジウムでよくあるケースだが、4人なら4人のパネリストに時間割を決めて質問を10個としたとする。1問に対する答えは1人あたり1分、といった具合にガチガチに決めておくと、1人1人が答える時間が非常に短いため、盛り上がりに欠ける発言になってしまう。一応要旨は言うのだが、そこから先、相互作用によって生み出されるものが何もない。

面白い議論というのは、お互いに意見が絡み合って一瞬混沌に落ち、そこからまた何かが立ち上がってきたときに初めて生まれるものだ。一瞬お互いの意見が交錯して、いったいこれをどうすり合わせればいいんだろう、という迷いに落ちて、そこからもう一度上がってくるというダイナミックなプロセスが、あまりにも小刻みなスケジュールを立ててしまうことで起こらなくなってしまう。

しかし「段取り力」のある人は、出席した人が「いったい今日の会議は何だったのか」「今日は何のために集まったのか？」という疑問を抱かないように、絶対に落としどころを外さず、しかも余白を残してある。**最低限決めなくてはいけないことや、やらなくてはいけないことをきっちりと押さえる。そのポイントは外さないようにした上で、真ん中は緩やかにしておく。要するに余裕を持たせておくということである。**

日本語に「遊び」という言葉がある。「遊びを持たせておく」……これはなかなか含蓄のある言葉だ。車のハンドルも、最初にちょっと1、2センチ回したぐらいではタイヤは動かないように設計されている。もしその「遊び」がなかったら、高速道路ではハンドルを少し切っただけでもフェンスに激突してしまい、大事故になってしまうだろう。

遊びや余白、スペースといったものが、実は非常に大切で、思いも寄らない楽しい展開を呼ぶ母体だということを忘れてはならないのだ。その余白を含み込むようなイメージが「段取り力」である。

今回この本では、さまざまな優れた「段取り力」を取り上げたが、最終的に見ていただきたいのは、とっさの危機的な状況でも融通の利く判断ができる、その幅の広さが実は「段取り力」に支えられているということだ。**「段取り力」を鍛えれば、人生の危機をかなりの確率で回避できる、ということをこの本を通して知ってもらいたいのだ。**

神経をタフにし、どんな仕事にも対応できるようになる

「段取り力」がまったくない人はいない。段取りが悪いと思っている人でも、すべての「段取り力」がないのではなく、ある好きな事柄については「段取り力」があるのだ。

だから自分の得意な段取りのスケールやタイプを見極めて、仕事につなげるようにすればよい。すると他の人も「あいつは小段取りが得意だから、あの仕事はあいつに任せよう」ということになる。お互い、どの段取りが得意なのか分かるようになると、

ここから後の細かい詰めは彼に任せようとか、大枠のところは彼女に任せようという具合に、仕事を割り振っていくことができる。これは組織にとっても大変効率がいい。

私は編集者と仕事をすることが多いが、編集者のタイプによって段取りを組み替えている。たとえばフットワークがいい人なら、本屋回りをして資料になる本を集めてきてもらう。非常にきっちりしたタイプの人なら、最後の校正や細かい内容の確認をお願いする。その人が得意とする「段取り力」を活かした仕事配分があるわけだ。その人のすでにある「段取り力」を活かし、拡大して強化する。そういう方向で仕事を回していくと、相手は自信を持ってくる。効率のいいチームプレーができるようになる。

いい仕事をするためには、お互い「段取り力」のどのタイプが得意なのかを見極めるだけでいい、と私は思っている。その人がどういう性格で、どういうキャリアの持ち主かということを考えていると、情報が多すぎて混乱する。しかし、どの種の段取りが得意かということだけでよければ、人格の全体を理解しあう必要はないので楽である。仕事と互いに得意な「段取り力」をつなげることができさえすれば、がっちり歯車がかみ合ったようにすべてがうまく回転していくものだ。

もし自分が異動を命じられたら、得意な「段取り力」を持って新しい仕事に対応していけばいい。経理から営業へいきなり異動になり、仕事の内容はまったく違ってしまってもそこで動揺してはいけない。培った「段取り力」があると認識して異動すると、共通するものが見えてくるから、絶望しないですむ。これは非常に大事なことで、仕事は変わっても、「段取り力」に自信があれば次の仕事をポジティブに迎えることができる。

核となる経験（フィールド）があるとすると、そこに経験を重ねていくことで、一定の法則（関数）が現れる。それが培われた「段取り力」だ。法則化されたものは技になる。一度技化されてしまうと、カッコの中の要素が変わっても法則は変わらない。

部署が変わっても、仕事が変わっても、技化された「段取り力」を応用してすべてを行っていけばいいから恐くない。異動して仕事が変わったからまたゼロから出発だと思うのと、経理で培った「段取り力」があるからそれを応用すればいい、と考えるのとでは大違いだ。

福沢諭吉は、大阪の適塾で徹底的にオランダ語を学習したが、横浜に来てみると、時流は英語に移っていた。一旦は絶望するが、思い直して取り組んだところ、英語も

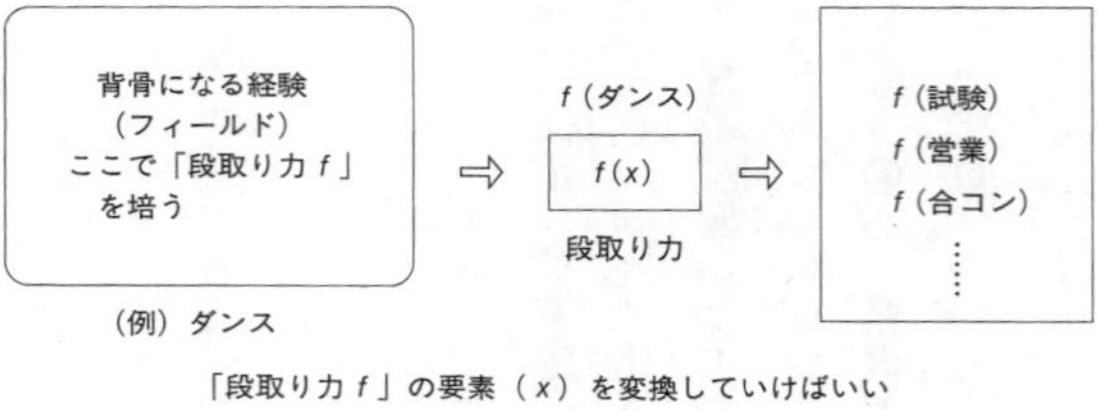

図②　「段取り力」は応用できる

急速に上達した。これは、勉強する段取り力が身についていたからだ。英語はゼロからの出発ではなかった。

考え方として、仕事はそれによって「段取り力」というものを身につけるための一つのチャンスととらえればいいのだ。すると、個々の仕事に必要な情報や細かい約束事は変換される要素にすぎないことが分かってくる。この考え方は神経をタフにするにはよい方法だ。

部屋の片づけも、文章を書くことも、経理の書類を作ることも、全然違う活動に見えるが、みな変換する要素にすぎないことが分かる。段取りにあてはめていけば同じことなのだ。そう考えることによって、現実はどんどんくみしやすくなり、新しい状況に対してポジティブになる。それが「段取り力」の効用だ。

たとえばダンスで段取り力を培った場合は、f（ダンス）ということ、ダンスのレッスンを通して得た段取り力を営業に活かすとすれば、f（営業）ということになる。要素は、ダンスから営業へと変わっても、段取り力（＝f）は変わらない（図②参照）。

2 「段取り力」とはどういう力か

質の違いを見抜く力

段取りの「段」は段階の「段」から来ている。段取るといった場合、全体がたとえば10段階に分かれているとすると、今は3段階目だとか、8段階まで行ったとか、到達レベルがはっきり言える。

図で示せば分かりやすい。図③の線は段取りを表している。段取りとはしっかりした階段の段のイメージがある。段を結ぶ垂直の部分には、ある種の飛躍がある。節目節目を押さえていけば、ポンと次の段階に登っていける。

段になっているのが重要で、一個一個が質的な違いを見せているから、段の違いがあるわけだ。つまり、**質の違う活動をしっかりと振り分けることができるのが段取りである。**同じような活動は一つの活動としてみなす。するとどこかで質が変わるわけ

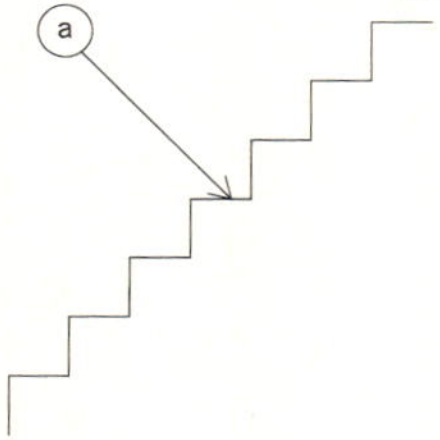

図③

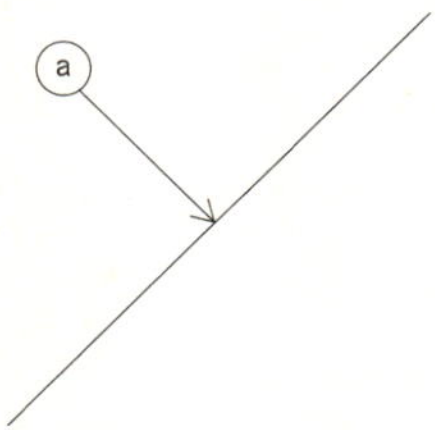

図④

だが、その変わるポイントを見抜く力が「段取り力」だ。「区切り」が段取りの鍵である。

図③の線は質的な断絶があり、しっかり段に組み替えて進んでいくが、図④の線には質的な変化はなく、量的な変化だけで継続していく。２つのイメージの差は大きい。のっぺりと量的変化を積み重ねていっても、どこに行くのか、進んでいるのか、戻っているのか、果たしてゴールに至れるのか分かりにくい。それより質的に異なる段階をしっかり把握しているほうが、精神的に余裕を持って進むことができるだろう。

階段と坂道の違いを想像してみればいい。ずっと一直線に伸びていく坂道より階段にしたほうが登りやすいし、登っているという実感がつかめる。段をつけて登りやすくすることが「段取り力」の基本的イメージである。

階段は人類が発明した最も合理的な発明の一つだ。ピラミッドは階段状になっているが、階段という様式はいまだに変わっていない。紀元前から現代社会まで、つねに階段が存在したことを見ても、驚異的な発明だったことが分かる。自然界は、だらっとした連続で成り立っている。それを非連続にして、あえて省いたり、強弱をつけたり、断絶させて、ゴールまでくっきりメリハリをつけていったところに人間の知恵と文化があるのだ。

また階段の優れた点は、一つ飛ばすと大変なことになるとすぐ自覚できることだ。直線ならそのうちの一点を飛ばしても気づかないが、**階段のほうは段を一つでも踏み外したら、すぐ分かるからミスがない。しかも、ミスの範囲がその段階の範囲で収まるところがミソである。**

たとえば図③のａ点でミスが起きても、他の段階とは質的な違いがあるから、その範囲内で収めることができる。ａ点で穴があいて水が漏れだしても、最初の器である段取りがあって、その段階でおさえていれば、水はそこでせき止めることができる。

しかし図④のa点で水が漏れたら、その影響がどこまで波及するのかが分かりにくい。ミスは必ず起きるものだが、段取りをしっかりしておけば、ミスの波及を限定することができる。これも「段取り力」の大きな効用だ。

ミスをあるところ以上に広がらないよう受け止めておく器が用意できている人は、「段取り力」があると言える。ところが一つのミスで水が全部漏れてしまうとしたら、「段取り力」が欠けていることになる。自分は運がないと思う前に、そのミスや突発的なアクシデントを防ぐ段取りを用意してあったかどうか考えるのが肝心だ。

つまり、質的な違いで活動を振り分けることが大切だということだ。種類別に番号をつけて分類してもらうと、すべての活動に均等に番号をつけてしまう人が多い。同じ質の活動は同じ章の中に入れ、節の違いとして整理する。グレードの違いをはっきりさせるということだ。

これは段取りを組むときのコツである。章と節、項では、グループの序列が違う。つまり重要度が違うのだ。細部にあまりこだわり過ぎてしまって大きな構造を忘れてしまうと、期日までにまったく仕上がらない。とりあえず期日までに8割がた形になって提出できる人と、緻密にやったが途中で終わった人がいたら、一応のアウトラインができている人のほうを採用する。

まず質的に違うものをきっちり振り分け、どこで活動の質が変化するのかを見抜く力が必要だ。それも「段取り力」である。それがあれば、物事は今よりずっとスムーズに進んでいくはずだ。

それぞれの人に合った「段取り力」がある

物事をあらかじめ決めていくやり方をスケジューリングと呼ぶが、スケジューリング力と「段取り力」とはイコールではない。

まず、「段取り力」のほうがいろいろなタイプがある。スケジューリング力は計画を立てさえすればいいわけだから、単純で分かりやすい。それを向上させることも、ちょっと練習すれば可能だろう。しかし**「段取り力」にはいくつかタイプがあり、それぞれの人に合った「段取り力」があるから、単純ではない。**

細かいスケジュールを立てて臨むことも「段取り力」の一つだが、そうでなくても必ずしも段取りが悪いとは言えない。単純な話、旅行をする場合のタイプを見ても分かる。あらかじめ何日の何時にはどの都市にいるか、行く前からきっちり分かっているタイプと、もう一つは行きと帰りの飛行機のチケットだけ取って、あとはどこに何日いるか自分でも分からないという行き当たりばったりのタイプだ。

　私は完全に後者のタイプである。以前、学会でノルウェーのオスロに行ったとき、まさかそんなに大きな都市でホテルが一室も空いていないとは思いもしなかったから、ホテルを予約していかなかった。するとどこも満室で、私は夜中に荷物をひきずり田舎町まで電車に乗って行かなければならない、という非常に悲しい思いをしたことがある。これは後者の大ざっぱタイプというか、「ええわ、ええわタイプ」の弱点だ。

　でも一方で、そうやって泊まったホテルの印象には強烈なものがあった。普段なら絶対泊まらない安ホテルに泊まるわけだから、途中、怪しげな集団に荷物を狙われたり、ホテルが見つからなくて駅でうろうろしていると、地元のちょっと悪そうな若者たちが公衆電話機を壊してお金を奪っていくのに遭遇する、といった貴重な経験ができたのである。それはそれで、見方を変えれば楽しい経験だったと言える。

　つまり、「段取り力」には微妙な線があるのだ。あまりに細かく計画を立ててしまうと、経験の幅が狭くなってしまって面白くない。かといって計画を立てないと効率が悪くなり、自分1人で行動をしているときはいいが、他の人を巻き込んだときは不快な時間になってしまう。それは「段取り力」のない上司を持った部下を想像してみれば、容易に分かるだろう。

そう考えると、どんな「段取り力」を持ったらいいのかは、その人のタイプにもよる。突発的な事件や出来事を楽しめるタイプ、つまり起こった事態を楽しみつつそれをマネージメントできる力があれば、あまり細かい固定的な計画を立てる必要はないが、予定外のことに対処できない人には、ある程度の計画が必要だ。

大筋を外さない力と優先順位をつける力

今回、「段取り力」という言葉で伝えたいのは、大筋を外さないことと優先順位を間違えないことである。これがあらゆることで最も重要なことなのに、このことについての意識が足りなくて失敗するケースが多い。

たとえば、試験問題を解くとき、どうしても最初の問題から取りかかってしまう人が多い。初めにある問題は配点の低いものだが、そこにエネルギーをかけてしまうから、後ろのほうの配点の高いものまで行き着かないのだ。これは日本人に多い傾向で、真面目さの表れではあるが、大事なポイントを押さえることができないという点で弱点とも言える。

東大の授業で、「ブレイクスルー（躍進）」の経験について各人に話してもらったことがある。ある理系の学生が、高校までは成績があまりよくなかったが、先生からもらったあるアドバイスのおかげで、数学の成績が急によくなった経験を話してくれた。そのアドバイスとは、「問題を後ろから解け」ということだったらしい。すると実力は同じなのに、テストの点数が格段に上がり、東大に合格することができました、というようなプレゼンテーションだった。

ある意味、受験勉強は優先順位をつける力を鍛える機会になっている。しかし下手をすると、与えられた順序のままに答えを解く習慣を身につけてしまう危険性もあるから気をつけたい。

私も出題者の側だから、よく分かる。簡単な問題から難しい問題へ順番に並べて作ると、学生は出された順に解こうとするから、一番肝心な、私が聞きたい問題まで行き着く前に時間切れになってしまうことがある。逆の順番で問題を並べないと、その質問の解答率が非常に低くなってしまうのだ。肝心なところにエネルギーをさけていないのである。

だから成功、不成功に関して言えば、**最大の鍵になるポイントに最大のエネルギーを注ぎ込むことが、成功の秘訣である。その人の能力いかんというよりは、そのエネルギーの使い方次第であろう。**

私は『週刊文春』で「説教名人」というコラムを担当しているが、そこでナポレオンを取り上げるというので、彼に関する本を読み直してみた。すると、ナポレオンの戦争についての言葉が面白くて、たとえば『ナポレオン言行録』（岩波文庫）には「軍学とは与えられた諸地点にどれくらいの兵力を投入するかを計算することである。」（p247）と書いてある。要するに最大の勝負ポイントに最大の兵力を注入し、決定的な瞬間を逃さないことが大切なのだ。試験問題を順番に解いていくような平板なやり方は、あまりいい段取りとは言えない。**メリハリをつけることが「段取り力」であるということを肝に銘じ、つねに意識するよう心がける必要がある。**

「段取り力」とは順番を入れ替える力

『ダンドリ君』というマンガがあるが、その場合の段取りはきっちり要領よくやるというニュアンスで使われている。主人公は非常に効率のいい男である。もちろん、こうした平板だが不都合なく事柄を進める『ダンドリ君』のような段取りも必要だと思う。

しかしこの本で最終的に言いたい「段取り力」は、メリハリの効いたエネルギーの使い方である。あるところでは軽く手を抜いているが、ここぞという勝負どころでは最大のエネルギーを投入できるということである。だいたい「できる人」というのはほとんどがそうであって、メリハリの効かない平板な「できる人」というのはあまり見たことがない。

学者の10年がかりの仕事といえば、平板な仕事の持続のように見えて、実は10年にわたる思考のエネルギーを一つのテーマにぶち込む、というメリハリの効いた行為である。何しろテーマ選びを失敗してしまえば、人生の何分の一かの年月を否定されることになる。毎日の行為は淡々としていても、テーマ設定や構成へのエネルギーの投入具合には、大きな「段取り力」が必要とされているのだ。それは平板に物事を進める段取りではなく、10年目にはその集大成が一つのテーマにぐっと集約され、結果が出るようなメリハリをつけた段取りである。

ところで、**メリハリをつける段取りで一番重要なポイントは、与えられたものの順番を入れ替えて、自分なりに組み替えるということだ。**日本人は真面目だから、どうしても順番を守らなければいけないという強迫観念にとらわれてしまう。本を読めと言われると、たいていの人は1ページ目から読み始め、最後まで読み切れずに途中で挫折してしまう。

いきなり本を飛ばし読みして平気でいる人は少ない。それはいけないことだと思っているからだ。ところが本を多く読む人はたいてい飛ばし読みをしている。パラパラめくりながら大事なポイントに最大のエネルギーを投入し、自分のものにしてしまう。それも本を読む段取りの一つだ。

「段取り力」とは1ページあたりにかかる時間を計算して、計画通りに最後まで読み進んでいくことではない。そもそも自分のエネルギーをどこに投入すればいいのか、その大枠を決める力が「段取り力」なのだ。この判断力は生活のさまざまな局面で求められているはずだ。ナポレオンの行った戦争とは、まさにそうした段取りの集大成だったと言える。

ナポレオンは戦争を演劇の展開、あるいは序破急のようにとらえている。「序破急」、あるいは「起承転結」は、段取りを組むときにイメージの基本になる。戦争では兵隊は大局的に全体を見ることが不可能なので、自分が現在置かれている状況を判断することはできない。しかし大きな枠組みの段取りで物事を見ているナポレオンのような人間は、多少攻められたり予想外のことが起きても、そこでいちいち動揺しないから、最終的に勝ちを取りにいくことができるのだ。

かつて、日本シリーズの勝率で最強を誇っていた西武ライオンズの森監督が、日本シリーズをどうとらえるかについて、興味深いことを話していた。「日本シリーズは7戦ある。それを4勝しなければいけないと考えるのと、3敗できるんだと考えるのでは戦い方が違ってくる。自分は3敗まではできると計算して計画を組む。たとえば、先発ピッチャーを決めるのでも、とにかく早く4勝したいと思うと綻びが出てきてしまう。最後の第7戦までもつれ込んだときに、先発ピッチャーにエースが出てくるのと、3番手、4番手が出てくるのとでは、もうそれで勝負が決まってしまう。だから第7戦まで勝負がもつれ込むことまで計算に入れた上で戦う」と話している。

これも一つの「段取り力」であり、展開の読み方だ。

持てる以上の資質を引き出す力

状況を設定する段取りを取ることで、その状況に促されて否応なく力が引きずり出されてくることがある。スポーツの世界で選手を強くする段取りにもよくその方法が使われる。

日本サッカーの育ての親と言われる人に、デットマール・クラマーというドイツ人がいた。彼は東京オリンピックとメキシコオリンピックで日本チームのコーチをしていた人だが、彼が掲げた「サッカーがうまくなる五カ条」は「段取り力」の本質を示すものとして興味深い。

スポーツ雑誌『ナンバー』（2003年570号）の記事によると、クラマーは日本チームを強くするために、まず対外試合を多くやった。アウェイに出ることで選手の意識が変わってくるからだ。また芝のグラウンドを作った。芝生など選手を強くするためにはどうでもいいことに見えるが、グラウンドを整備することでやる気が出て、技術が変わってくるそうである。つまり、状況によって引き出されてくる技術や力があるということだ。

これは非常に面白い。**必ずしも直接、中身を注入しなくても、状況設定を段取ることで中身を充実させることができるのだ。そこが段取ることの素晴らしさである。**

そう考えると、Jリーグ自体が段取りだった。Jリーグは、チェアマンであった川淵三郎を中心とするさまざまな人の「段取り力」の結晶だ。Jリーグを設立するにあたって、当事者はサッカーの名選手である必要はなかった。川淵はたまたまサッカーの日本代表選手だったが、そうでなくてもかまわなかった。Jリーグという器を作る「段取り力」のある人がいれば、それでよかったのだ。Jリーグを目指して選手が次々と育ってくるので、サッカーのレベルは相当向上させることができる。本当の実力をつけるだけでなく、実力が引き出されるような状況を設定することが重要なのだ。デートをするときでもそうだ。自分に特別素晴らしい魅力や容姿、口説きのテクニックがなくても、素晴らしい夜景スポットにつれていけば、その状況で女性が「うん」と言うこともあり得る。急に人間的な魅力をつけろと言われても困るが、段取りという観点で、女性をその気にさせる店を選択することなら誰にでもできるだろう。状況を段取ることによって人間の力が引き出されてくることが分かれば、自分の能力に希望が持てる。それがないとその人本来が持っている力だけで勝負をすることになるが、**「段取り力」によってそれ以上の資質を引き出すことができると考えると、未来に対して希望が持てる。状況が力を引き出しそれが何度か繰り返されていくと、その力が本物になっていく。**

段取りとはそういうものである。武道や芸事でも初段とか三段といった段位を与えると、その気になってそれなりの技術になることがある。黒帯を締めることによって自覚が生まれて、さらに成長することが多い。状況が人を育てるのだ。

そう考えると、自分にとって意味があるのはその器である。器を自分の内面や本質を育てる培養器にすればいい。すると器を用意したり、整える段取りの重要性が分かるだろう。日本人はとかく個人の内面や本質を重視し、その外側の器や段取りを軽視しがちなところが欠点だ。

3 「段取り力」を意識する

「段取り力」で大切なレシピの概念

「段取り力」があるほうが、現実に対して冷静に対処ができる。それは料理を例にとると分かりやすい。私が「段取り力」という言葉を初めて使ったのは、5年くらい前になる。講演会でそれを説明したとき、50代くらいのある女性から非常に分かると賛同を得た。

そのご婦人は「段取り力」は現実を生きていく上で最も重要なものだと強調されていた。彼女は料理をしているとき、それを痛感するらしい。料理は段取りが悪いとまったく進まないし、うまく着地できない。その人は自分の息子に徹底的に料理を仕込んだそうだが、それは「段取り力」を鍛えるためだったのだ、と「段取り力」という言葉を用いて改めて分かった。

なるほど、料理はいろいろな事柄をなしていくときの基本的な比喩になる。なぜなら、たいがいのものは料理と同じように素材があってスタートするからだ。まったくの無から何かを生み出す作業は、現実にはあまり多くない。すでにある素材集めから始まって自分の手を加えて何かを完成させるのが、最もシンプルにイメージしやすいもの作りの活動だ。

私は教育学の研究者で、授業の作り方を学生に教えるのが仕事だが、学生の中にはおうおうにして自分の言いたい事柄だけを一方的にしゃべる授業を作ってしまう者がいる。授業は講演会ではないのだから、生徒たちに何かいい素材を提供し、刺激を与え、そのとき脳に起こるさまざまな考えやひらめきを素材にして授業を構築していくのが本来の姿である。

つまり素材という意識が大切なわけだ。素材あるいはテキストと言ってもいいが、それをどうやって見つけてくるかが、教師の力量になる。それは料理の仕方と非常に似ている。私は授業の作り方をレシピと呼んでいる。そのほうが分かりやすいからだ。要するに素材は何か。手順は何か。仕上げはどうするのか。レシピ形式にすると、学生は本質からずれない授業を企画することができる。

料理をするとき、最初に材料を用意せず、料理を始めてしまってからあとで買いに走るのは、非常に滑稽である。だがレシピを意識しないと、実際の仕事ではそういう滑稽なことがよく起こる。たとえば出版界で編集者は段取りを組むのが仕事である。もちろん校閲で字の間違いを直したり、原価計算をするのも仕事の一部だが、メインの仕事は全体の仕事の進行を管理することだ。

いわば「段取り力」を凝縮したものが編集者の仕事と言える。しかし編集者でも、自分は「段取り力」で食べているという意識が希薄な人もいる。段取りが命なのに、それが欠けていることがある。

自分の仕事の中心は「段取り力」だという認識があれば、仕事の本質が見えてくる。その言葉がないため、個々の活動がばらばらに見えてしまい、何か大切なものが抜け落ちても気づかない。たとえば重要な連絡を相手方にし忘れていて、スタッフは全員集まったが、肝心なゲストの日程のすり合わせがされていないことがある。ゲストがいなくて、何のために自分たちは集まったのか。「一番肝心な人を先に押さえておかなくてはダメじゃないか。スタッフが1人2人欠けてもかまわないんだよ」という笑えない話が現実に起きてしまう。

「自分は段取り力で食べているのだ」という認識さえあれば、段取りの組み方についてもう少し意識的になるはずだろう。

第五章

「段取り力」の鍛え方

1 すでにある完成体から段取りを推測する

「キシリトールガム」ができるまで

「段取り力」を鍛えるには、優れた「段取り力」によって作られた完成体から、その「段取り力」を見抜く訓練をするのが最も効果的だ。「段取り力」を見抜く練習のテキストとして面白いのが『デザインの解剖①＝ロッテ・キシリトールガム』（美術出版社）という本だ。ロッテ・キシリトールガムのデザイン開発の段取りを解剖した本だが、まず最初の段取りは、虫歯にならない甘味料を使用しているガムという明快な考え方に基づき、デンタルというイメージを具現化することだった。

「パッケージグラフィックデザインは、『デンタルというイメージを具現化する』という考え方が数あるデザイン案の中から採用された。Ｄｅｎｔａｌ（デンタル）とは、『歯の』または『歯科の』を意味することばであるが、ここでは『歯磨き粉や歯ブラシなどのデンタル関係に見られるデザイン』を意味している。お菓子をお菓子としてデザインするのではなく、まず『デンタル』という別のジャンルのイメージでデザインしてみる。その後お菓子として相応しいかを検証する。このような手順でパッケージグラフィックデザインの作業が進められた。」（p20）

最初に明確なヴィジョンやコンセプトを打ち出し、それからイメージできるものを他の領域から探してアレンジして、今必要なものにあてはめていってしまう。要するに歯磨き粉のチューブのイメージをガムにしてみたら、というように無理矢理アレンジをしていくわけだ。するとまったく新しいものが生まれる。

たとえば、ロッテのキシリトールを象徴するマークも斬新だ。上から見た歯をイメージしている。しかもコンビニや駅の売店に置かれるとき、縦横どちら向きに置かれてもいいように、マークは左右対称、上下対称に作られている。色は自然な色ということで緑になったが、ただの緑ではあまり目立たないのでメタリックにしたという。

図⑤キシリトールガムのマーク（『デザインの解剖①』より）

この『デザインの解剖』という本は、商品としてまとまった完成体であるロッテ・キシリトールガムが作られるまでの段取りを、あらゆる方面から解剖していて面白い。普通はそういうプロセスを読み取ろうとして商品を見る人は少ないが、こういう解剖を一つずつやってみると、身の回りの小さな製品の中にも、ものすごいアイディアが詰まっていることが分かる。すると、ものの見方が変わってきて、完成体から逆に作る段取りを推測できるようになる。これが「段取り力」を鍛える重要な訓練になる。

「デザインシート」に段取りを書いてみる

完成体から、それが作られてきた段取りをエックス線のように透視できるようになると、自分が段取りを組むことができるようになる。私はこの方法を自分のゼミや授業で積極的に取り入れている。学生にすでにある商品を見せ、それがどうやってできたのか、「デザインシート」（図⑥参照）に段取りを書かせてみる。たとえばもしウオークマンの企画書があるとすればこういうものだろう、というものを自分で書かせてみるのだ。それが「段取り力」を鍛える。段取りの本質は時間的なものだが、完成体は時間を吸い込んでしまったあとのものだから、それがどういう順番と優先順位で、どういうコンセプトからそうなっていったのかを逆に引きずり出す訓練は、頭を鍛え

デザインシート（レシピ）　日付
所属　氏名

▽対象

▽テーマ（タイトル）

▽ねらい
・
・
・

▽テキスト（素材）
・
・

▽キーワード（キーコンセプト）
・

▽段どり
①
②
③
④
・
・

▽仕込み（裏段どり）
・
・
・

図⑥デザインシート

る。

全部の段取りは必ずしも均等ではない。キシリトールガムなら、「虫歯になる甘味料を使わない」という明確なコンセプトが真ん中にあり、これを中心にすべてが段取られていく。だからねらいとキーコンセプトは外せない。そこにいろいろな段取りがくっついてくるわけだ。大きく言えば明確なコンセプトを絞り込めるかどうか。そこがぐらつくと、他のことが全部決まらないが、そこがうまく設定できれば、細かい色や包装やマークも、おのずとそのコンセプトから導き出されてくるのである。

最初からこの世にない商品を自分で考えるよりも、**すでにある優れたヒット商品やアイディアを逆に「デザインシート」に落としていく練習を何度でもするほうが、段取りを把握するためには近道だ。**これはやればやるほどうまくなる。

「デザインシート」は実に簡単なものだ。先日、私は小学生の塾で段取りを鍛える練習をした。まず『日本語で遊ぼ』（NHK教育）という10分番組のビデオを流し、「デザインシート」に段取りを書かせる。オープニングから始まって、コニシキさんが出て来て、野村萬斎さんが出て来て……などどんどん区切っていくと、小学生でもすぐに十数個の段取りに分けられる。普段は番組を流して見るが、そういうふうに番組を見ると、作るほうはどういう順番でどういう組み合わせにするのか、クリアに意識をして作っていることが分かる。それをシートに落とすだけで、番組の流れや構造が分かる。

さらにその授業では体育館でしこを踏んで、暗唱したり、3色ボールペンで線を引いたりということもやった。それを最後に今日やったこととしてすべて「デザインシート」に落としてもらった。すると、小学生でも自分たちがやっていることの構造が分かったのだ。構造が分かれば、私の代わりに授業をすることも可能だ。つまり、段取りが立てられないといつまでも生徒のままだが、自分のやっていることを「デザインシート」に落としていくだけで、生徒から先生の立場に変われるのだ。

「デザインシート」はシンプルだが、大変使いやすい。あらゆるものをすべてここに落としていけばいい。上手な人と一緒に仕事をしたとき、その人の仕事の段取りを落としていく。すると格段に成長する。上手な人は神秘的な力で仕事をこなしているのではなく、こういう段取りを踏んでいるからこそ、うまくやれるのだということが必ず分かるようになる。**カリスマと言われる人も、なんとなくできているのではなく、うまい段取りを組んでいるだけなのだということが分かる。それが分かれば、自分だ**

ってカリスマになれるのだ。

「デザインシート」は、さまざまなアイディアを出すときにも使える。すでにある商品やシステムを「デザインシート」に落としていく。そして慣れてきたら、ねらいや素材だけを別のものに変えていく練習をする。知っているもので練習しておいて、そこから変化させていくのだ。

条件を固定して段取りを考える

先日、学生に授業を作らせる講義をしたが、「デザインシート」を使い、時刻表という素材で授業を作るよう課題を与えた。するとけっこう面白いアイディアが出た。たとえば殺人事件を想定して、犯人はどの電車を乗り継いで逃げたのか問題を出し、生徒に時刻表をめくりながら正解を当てさせるというものや、決められた所持金でどれだけ遠くの駅に行けるのか、時刻表を駆使しながら考えさせるものなど、いろいろだった。

あえて素材を固定したほうが、段取りを組むのにアイディアがわきやすいことがある。使う素材も段取りもすべてゼロから自分で考えるとなると、慣れていなければ難しいが、ある程度素材が固定化された状態で、段取りを組む練習を繰り返し、慣れてきたら自分で素材を見つけるというやり方をしていけば、「段取り力」も鍛えられるだろう。

あるいはある部分を固定してみんなで考えると、各人のアイディアの違いや段取りの組み方の違いがはっきりして比較ができる。全部を変えてしまうと各アイディアをつき合わすことができないが、ねらいだけを固定化したり、キーワードを固定化したり、素材を固定化すると、それぞれの段取りを組むときのアイディアが層をなす。それらを持ち寄って話し合いをすることで磨き合いが可能になり、よりよい段取りができ上がっていくのだ。

これは商品開発において、鉄則だと私は思う。アイディアは必然的に生み出すことができると強く感じている。ちょうど今『週刊ダイヤモンド』という雑誌でアイディア商品についての解説をしているのだが、**アイディアは、きっちり段取りを組んで考えるとかなり生まれてくるものだ。**何となく無のところからふっとアイディアが生まれてくるよりは、条件を固定化したほうがアイディアが出てくる。うまい限定をした上で、この「デザインシート」を使えば、アイディアは相当量、必然的に生み出されるものだ、と思う。

商品の開発にこの「デザインシート」を使うと分かりやすい。ここにヒット商品を入れ込み、アレンジした商品を新しく考えてもらう。すると段取りよく新しい商品が出てくる。アイディアを引きずり出してくるのに段取りが役立つ、ということだ。アイディアは天から降ってくるのではなく、むしろ降ってくるまでの段取りが必要だということだ。

2「段取り」という包丁で切る視点を持つ

完成体から段取りを見抜くトレーニングは、「デザインシート」がなくても、それを心がけさえすれば、いつでもどこでもできる。身の回りにあるものや起こる出来事を、すべて「段取り力」という目で見ていけばいいのだ。

料理を作るときも、レシピに従ってただ作るのではなく、レシピを作った料理上手な人の段取りを見抜く練習をしていると、何をするにしても「段取り力」が活きてくる。テレビを見るときも、番組がどういう構成で進んでいるのか、裏ではどんな仕込みが行われているのか考える。そういう練習が「段取り力」を鍛えていく。「段取り」という包丁で切る練習が大切なのだ。

そうした視点で小説を読み解いていくと、思わぬ発見もある。『ドン・キホーテ』(ちくま文庫)がいい例だ。ドン・キホーテは妄想にかられた人物、というイメージがある。騎士道小説を読みすぎて妄想で頭がいっぱいになり、現実感覚を失ったと思われている。およそ「段取り力」のイメージとはかけ離れた男だろう。だが実は彼は非常に行動的な人物で、彼が動くところはみな現実が動いていく。その意味では彼は新しく現実を作り出す大変な「段取り力」の持ち主だった。

とにかく、きっちり道具を準備しているのだ。馬を検分しに行って、ロシナンテを手に入れたり、自分自身にもひとかどの騎士らしい名前をつけたくなって、1週間考えた末、「ドン・キホーテ」と名乗ることにするなど、しっかりした段取りをとっている。さらに思い姫を想定して名前をつけたり、お金の調達をするためにいろいろなものを売ったり、非常に具体的な「段取り力」を発揮しているのだ。しかも従士を持たないと騎士として恰好がつかないからと、サンチョ・パンサを誘う。

「ドン・キホーテは自分の近所に住む、正直者で（といってもこの称号が一般に貧乏な男に与えうるものとしての話であるが）、そのくせひどく脳味噌の足りない一人の百姓をそそのかした。とどのつまり、さんざんに口をすっぱくして言いきかせ、説き伏せ、さては約束したりしたおかげで、この気の毒な田舎者も彼といっしょに出発して、従士として仕えようと決心することになった。」（p117）

他人に大きな影響を与え、人生を変えてしまう強い「段取り力」を持っていた男だということがこの短い文からも分かる。「段取り力」という概念がなければ、『ドン・キホーテ』もただ面白おかしく読み飛ばしてしまったかもしれない。

あれだけの準備作業、つまり「段取り力」があったから、ドン・キホーテは冒険に出かけられたのである。すべての構造の基礎がそこにあったと認識できるのは「段取り力」というコンセプトがあったからだ。言葉の威力はすごい。この言葉を使うだけで、成長するところがポイントだ。さまざまな場面に「段取り力」という包丁を持ち込み、スパスパ切っていくことによって、「段取り力」のコンセプトが技となって自分の中にしみ込んでくる。

この視点を生活のあらゆる場面で相互に使い合うことによって、「段取り力」自体がいっそう高まってくるし、気持ちが楽になる。人格が否定されたり、根源的な能力を否定されない。**根本的な人間性はなかなか変わらないが、「段取り力」は明らかにちょっとした意識化と練習で伸びる。人生に希望が持て、仕事が楽しくなる。**今までなかったのが不思議になるくらいの言葉だ。

3 小段取りから始めてスケールを大きくする

段取りには小段取りと中段取り、大段取りがある。つまりスケールがあるのだ。何十年、何百年の長期的なスパンで考える人がいるかと思うと、非常に細かい段取りが得意な人もいる。レストランの予約や休日の計画を立てさせたら、右に出る者がいない人というのは後者の短期的スパンの小段取りがうまい人だろう。組織を運営したり、団体の幹事を上手に務める人は中段取りがうまいといえる。大統領や首相になると、もっと大人数を動かさなければならないから、システム全体を見抜く長期的なスケールの大段取りが必要になる。

最初は小さなスケールから練習していき、だんだんにスケールを大きくしていくのが上達論としては王道だ。ホテルのトイレ掃除から始めて、客室のことも覚え、フロントをやり、だんだんに資金調達や人事のことも経験していき、最後はホテル全体を統括する支配人になるというような道筋だ。

絵でも、最初からいきなり何十号もある大きな絵を描くことは普通しない。最初は手だけといった小さな部分を練習する。それを徹底的に練習して、うまくなったら今度は顔を練習する。そういう基礎があって、初めて人物を描き、その周りの背景も描きという具合に大きくしていく。そうしなければスカスカな大きな絵ができ上がるだけだ。

今の自分はどのスパンの「段取り力」が得意で、どのスパンの「段取り力」が苦手なのか、大段取りなのか、中段取りなのか、小段取りなのか、スパンという観点で「段取り力」を見ていくことも重要だ。

段取りのスケールを図化すると図⑦のようになる。人生の段取りなど大段取りが得意だが、スケジューリングなど小段取りが不得手だという人は左上Bゾーンになる。このゾーンは「ズボラだが節目節目の大切なツボはおさえている人」だ。コツコツと器用にこなすが、大きな段取りは逃すという人のゾーンは右下Dになる。いわゆる「器用貧乏」と言われる人がここにあたる。

料理や家事など細かい段取りは不得手だが、結婚の段取りは間違えず、ちゃんと日

図⑦

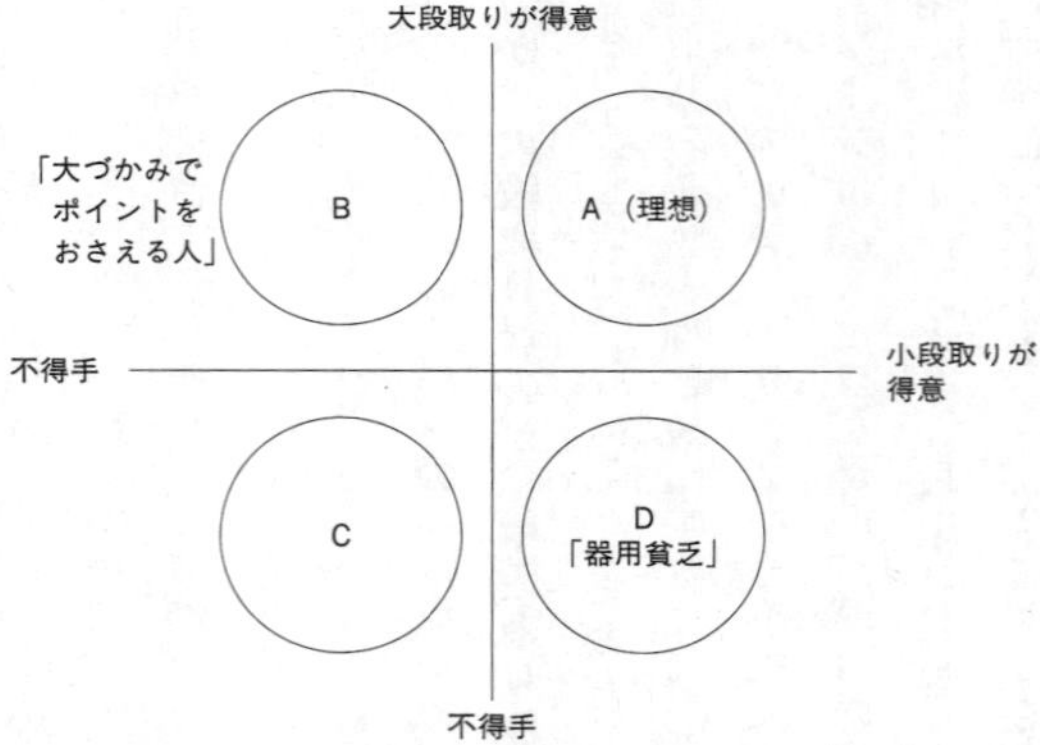

那は捕まえるという人はＢゾーンだ。仕事ができる才色兼備の女性なのに、人生の段取りはうまくいかない人はＤゾーンだろう。器用貧乏と言われるように、明らかに段取りがいいとほめられている人ほど危険なケースがある。「小段取り力」も大切だが、それより人生の大枠を考える「大段取り力」のほうが重要だろう。つまり理想は大段取りも小段取りもおさえる右上Ａゾーンだ。

私たちは「段取り力」と言ったとき、個々の小さな段取りにとらわれがちだが、構造的なものをとらえる大きな段取りをつねに意識する必要がある。

4　ヴィジョンと素材を結ぶ回路を作る

段取りには、ヴィジョンからおろしていくやり方と素材から入っていくやり方がある。料理でいえば、すでに大根と人参があってこれで何か料理を作る、という素材から作っていく方法もあるし、すでに料理は決まっていて、これを完成させるために何と何が必要か用意していく方法もある。いわゆる「素材主義」と「ヴィジョン主義」だ。

ヴィジョンがA、素材がBとすると、単純な話、このAとBの両方からトンネルを掘っていくやり方が一番間違いのない王道だ。「段取り力」をどうやってつけるかと言ったとき、ヴィジョンと素材がきちんと対応しているのか、に目を向け、両方をつないでいくのが「段取り力」の鍛え方だ（図⑧参照）。

図⑧

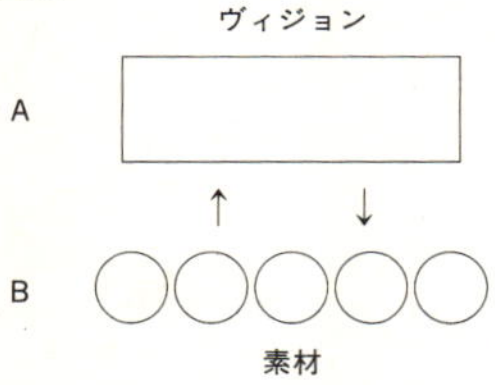

自分の「段取り力」がダメなのは、最終ヴィジョンがないまま取りかかっているからなのではないか、とか、素材が用意されていないのにヴィジョンだけが空回りしていたのではないのか、といったことが、この「ヴィジョンと素材」という概念を導入することでクリアになる。

そのいい例が彫刻だ。作りたいと思う最終形がクリアにあれば、それに合わせて素材を削りながら作っていく。これがもしヴィジョンなきスタートをしてしまうと、あまりに段取りが悪いということになる。だが素材を見て、いいヴィジョンがひらめいて作っていくというやり方もある。要するに素材が先でもヴィジョンが先でもいいが、素材とヴィジョンの間をつなぐ段取りが大切なのだ。

この間を埋めない人がいる。ずっとヴィジョンだけを言っていたり、ずっと素材のところでうろついている。やみくもに資料探しばかりしていて、何をやりたいのか分からない研究者とか、反対に抽象的なヴィジョンばかりを言って、実証しない人がいる。スポーツで言うと、基礎技術とプレースタイル、最終目標を統合するのが大事だが、マニアックに特殊な技術だけ練習していて、強くならない人などがそのいい例だろう。そうした人には統合する回路が欠けているのだ。回路はつねに意識することで鍛えられ、その道筋が作られていく。

「料理の鉄人」のような人は、素材を見ただけで料理の完成図が目に浮かぶ。一瞬にして回路がつながるわけだ。素材をアレンジしていく力、あるいはヴィジョンを柔軟に再構築していく力が優れているのだ。つまり「段取り力」は柔軟にアレンジして力がついていくことで、さらに磨かれていく。

自分は「段取り力」が劣っている、と言った場合、ではどんな「段取り力」が得意で、どんな「段取り力」が不得手かに気づくことが最初のスタートだ。次に段取りがうまくいかなかったのは、ヴィジョンをちゃんと見ないでスタートしていたのか、ヴィジョンしか見ないで細かいことをやらなかったのか、検証してみることだ。

素材しか見ない素材主義を、細部にこだわる「はい回り系」、ヴィジョンしか見ないヴィジョン主義を、大きいところからしか見ない「俯瞰系」と言うこともできる。両方できるという人もいる。優秀な建築家は建築物を建てるという大きな段取りもできるが、業者との細かいやり取りもできる。私の感覚では細部にこだわることができる「はい回り系」の中には、明らかにプロフェッショナルな大規模なものもできる「俯瞰系」が存在する。その逆、つまりもともと「俯瞰系」の人が、一方では、はい

図⑨

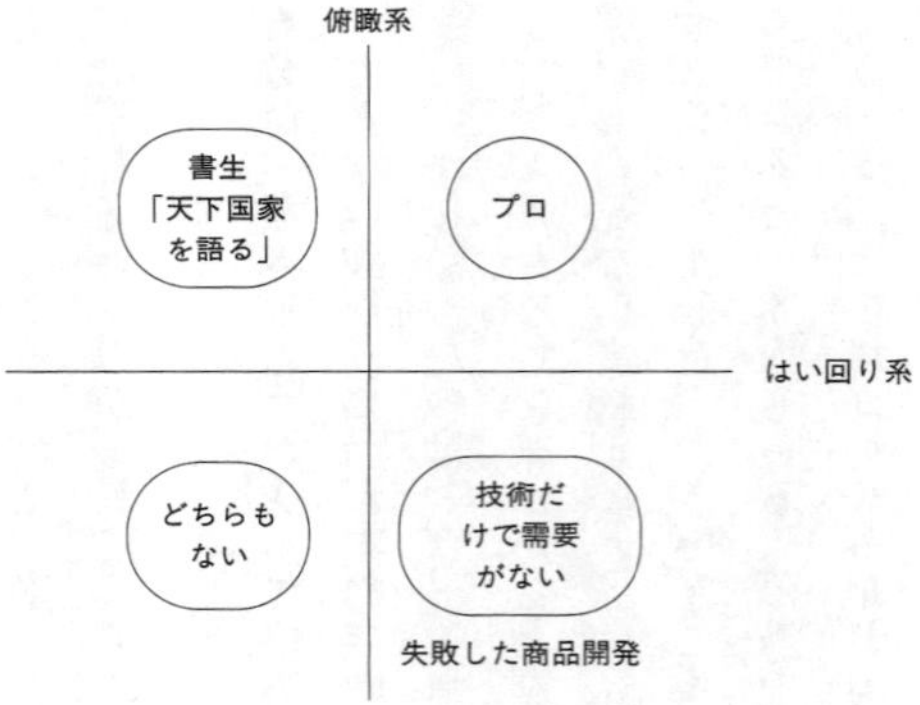

回りもできるという例はあまり見かけない。

やたら大風呂敷を広げたり、天下国家のような大きいことを論じるが、実行が伴わないという人もいる（図⑨参照）。

ヴィジョンはあるが、打つ手はない。具体化する方法がない、ということはよくある。商品開発のときも、「こういう商品がほしい」というヴィジョンがあっても、技術がなければ需要に応えることができない。技術系のはい回りがないと、ただの机上の空中戦になってしまうのだ。技術だけで大きな視点がないと、需要のない商品を作ってしまい失敗する。ヴィジョン主義と素材主義の回路をつなぐ意識を持つことが、「段取り力」を鍛える方法だ。

5 視点や切り口を明確にする

視点や切り口を明確にすることも「段取り力」を鍛える近道だ。そのトレーニングになるのが論文である。論文は段取りが命だ。「はじめに」という形で問題提起がありそれに続く論の組み立てもしっかりしており、最終形もきっちりあり、キーワードもいくつか出しておくのが論文の形だ。文章と言われるものの中で、形式がしっかり決まっているのが論文のよさだ。

しかし論文には、そういう形で仕上げる前に資料を集める段階がある。研究者の中には資料集めばかりしていて、なかなか書けない人がけっこういる。書ける人と書けない人の大きな差は、論文を貫く視点や切り口を持っているかどうかである。それがないと論文にはならない。何かについてとりあえず書いてみた、というのでは、まとまりがない文章になってしまい、論文にはならない。

逆に言うと、切り口があることで段取りがものすごくよくなるのだ。しっかりした切り口を持っていれば、自分にとって必要な資料がどういうものか分かるので、100冊資料があっても、そのうち自分の切り口に関係があるものは3冊だけだと分かる。ところが切り口がないと、100冊全部を読んだ上で考えるから、膨大な時間がかかるわりには論文としてまとまらない。

何かをやるときは、いつも「自分がどういう角度で、何に向かうのか」意識していることが大切だ。視点や切り口を明確にすると、段取りがシンプルになって労力が削減される。

6　優先順位で組み替えていく

段取りが悪いと悩む人の中には、時間的な順序にとらわれ過ぎて失敗するケースが多い。特に日本人は最初からきっちりやろうとするので、時間切れになって、肝心のものにたどりつかないことがある。よく勘違いするのは、緻密に時間的な順番をこなしていくことが、段取りだと思ってしまうことだ。

会議でも報告事項の二番目から始めて延々と続き、肝心な審議事項に到達する頃には疲れ切っている。順番を入れ替えるということが重要だ。本当に「段取り力」がある人は、時間的な順序関係ではなく、優先順位で組み替えていく。試験問題でも出題された1問目から解いていく人と、組み替えて自分が解ける問題や配点の大きいものから解く人とでは、結果がまったく違う。

できない人は、与えられた順序をそのままやってしまうことが多い。本を読むので

も、最初からずっと読んでいって50ページで行き倒れてしまう。同じ50ページでも、重要なところをあちこちつまんで50ページ読むのとでは大違いだ。たとえば、そんなふうに優先順位による組み替えが自分でできることが大事だ。組み替えられる力がある人は、けっこう「段取り力」がある。

「段取り力」は、つまるところエネルギー配分だ。一番エネルギー値の大きいものを最重要なところにぶちこむ。勝負事で言えば、相手の一番弱いところに自分の最大エネルギーをぶつけるということだ。相手のスキに焦点を定めて、最大のエネルギーを注ぎ込めば、それだけで高度な技術を持つ相手に勝つことができる。

たとえばエネルギーがあるうちに何をするか、が大切だ。その人のエネルギーが朝、満ちているようなら、朝に仕事を持っていくのがいいし、夜型なら夜に重要な仕事をあてればいい。

段取りの順番を言うなら、やはり大枠をおさえてから、細部を整えるのが順序だ。絵を描くのに、手の形はすごくよくできたが全体のバランスが悪い、というよりは、全体像はできていて、最後に細部を整える人のほうがうまくできる。うまい人の絵は全体のバランスがいい。まずアウトラインは押さえてあって、その中で徐々に細部をつめていく。するといつ「そこで、はい終わり」と言われても絵になっている。段取りがいいという感じがする。

英文解釈でもそうだ。複雑な文章があった時、どれが主語でどれが動詞か大枠が捕まえられていれば、その中に入っている関係代名詞や細かい名詞が分からなくても何とかなる。最初から出てくる順番に単語を辞書で引いていると疲れてしまうが、「これを引けばだいたいの意味は分かる」という単語から引いていけば、早く意味がつかめる。単語を出てきた順に引くのは、時間的順序関係に従ってしまうやり方だ。

大枠をおさえて優先順位を決めるのが、「段取り力」を鍛える大事なポイントだ。

7 場を設定したり、型を整えてみる

シチュエーションを整えると持てる以上の能力が引き出されるというイメージを持つことで、「段取り力」が鍛えられる。

追い込まれれば、人間はたいがいのことはやれるものだ。ある問題を時間制限なしでやるのと、5分間の時間制限でやるのとでは、能率は格段に違う。納期を決めなければ、いつまでたっても製品はでき上がらないのと同じだ。だから自分で自分を追い込むような設定をするわけである。それが段取りである。

そして段取りのいいところは、一度決めてしまうと、自分の日々ゆれ動く感情ややる気の変化とは関係なく、段取りに従って動くしかなくなるという点だ。その段取りを人に決められてばかりだとやる気がなくなるのなら、誰かと組んで段取りを決めればいい。

学習効果をあげるには、２人で勉強する方法がけっこうおすすめだ。自分１人だと気持ちが崩れてしまうが、２人で決めたことだとやり切ることができる。私も高校受験、大学受験、大学院受験をすべて友人と２人でやってきた。何日までにここまで読んでおこうと２人で段取りを決めると、張りが出る。

つまり段取りとは、一度決めてしまうと自分の外側にあって、自分の力を引き出す働きをしてくれるものである。しかしそれを押し付けられたと感じると、その力は出てこないから、何かしら自分が納得できる状況に組み替えることが大切だ。全部を組み替えなくても、段取りを組む作業に少し関わっただけでも、自分が作った段取りだという自信と誇りが生まれる。それに従うことは潔しということになる。

ともかく状況や場の威力をしっかり認識し、やらねばならない状況や場を設定することが「段取り力」を鍛えることになる。私はポジショニングや時間設定にかなりうるさいのだが、それは会議においても座り方や開催時間によって、その後の生産性がまったく変わってしまうからである。**座り方や時間を決めるというのは、まさに段取りそのものであり、これをないがしろにすると、あとでものすごく後悔することになる。**

最近、厄介な仕事を始業前にやってしまう朝型仕事術というのが流行っているようだが、それも段取りの一つだろう。朝6時半ごろ会社に着いて、皆が出社して来るまでの約2時間の間に難しい仕事を片づけてしまう。考えてみると、朝2時間、それだけ静かな時間とスペースを都心の一等地に確保できるのは、家賃や光熱費から見ても大変な得である。あとは余裕をもって仕事をこなし、夕方の3時か4時に仕事を終える。すると非常にリッチな時間が過ごせるわけだ。自分の能力は変わっていないが、段取りがいいことによって能力の配分がうまくいき、いかにも仕事ができる人という評価になる。

仕事の種類の中にも、疲れていてもできる仕事とできない仕事があるから、仕事の順番を考えるのは非常に大切なことである。スティーブン・キングの著書に、彼自身の仕事の仕方をつづった本（『小説作法』アーティストハウス）がある。彼は午前中は他の用事を完全にシャットアウトして、執筆にあてると決めている。午後は手紙を書いたり、人に会い、夜はゆっくりして過ごす。仕事をするのは午前中しかないらしい。確かに本を読むことは疲れていてもできるが、書く活動は疲れているとできないから、自分のゴールデンタイムに持ってきたほうがいい。ゴールデンタイムが真夜中の人は、夜中に活動すればいいのだ。

スティーブン・キングの場合は、ドアを閉めるというやり方でそれを実行していた。つまり電話を取り次がせない。人を完全にシャットアウトして、音楽をかける。音楽をかけるのは自分の世界に閉じこもるためである。そういう段取りがいくつかあって、自分を外側の枠から追い込んでいくと、いろいろなアイディアが出てくるわけだ。彼はそれを習慣化している。そういう時間を必ず取ることによって、あの膨大な作品が生まれるのだ。

作家の宇野千代も、「作家になりたい人はとにかく毎日、机の前に座りなさい」と助言している。内容の指導ではない。とにかく座る習慣が大切なのだと言っている。スティーブン・キングが「必ずシャットアウトする時間を作れ」と言うのと同じである。

私も大学の研究室の電話をつながないように切ってある。なぜかというと、集中して書いているとき電話で分断されると、また集中してその水準に持っていくのに膨大なエネルギーがかかるからだ。人と話している時間と、自分が集中して書く時間とはあまりにも活動の質が違いすぎる。前者は自分を放出する時間で、後者は自分の内側に入り込んでいく時間である。

その活動の質の違いを段取りとして組み分けて、この時間は外部をシャットアウトして自分のために使おうとか、この時間は自分を開放して効率よく人に会おうとか、割り振っていくわけである。だから自分の活動の質が分からないと、先にさんざん本を読んでしまって、さあ書くぞと言ったときには、もう脳はバーストして使いものにならないという事態も起きてしまう。**場の設定が脳の力を引き出したり、消耗させたりするわけだ。**

8 「裏段取り」を意識する

段取りには表の段取りと裏の段取りがある。表の段取りとは外側から見える時間的な流れのことを言う。たとえば小料理屋さんがあるとすると、店が開いて、お客さんがいる時間に小料理屋さんが注文を受けたり、料理を作ったり、出したりしている。それらはみな表の段取りだ。では裏では何が起こっているかというと、開店する前に仕込みが行われているのだ。仕込みとは裏段取りである。あらかじめ仕込んでおくのは、段取りがいい典型だ。

素人は、仕込みに関する意識がない。仕込みの意識のあるなしが、「段取り名人」と素人の分かれ道だろう。いい表段取りには必ずいい裏段取りが存在している。仕事ができる人を見ると、表と裏、両方の段取りがスムーズにいっている。

表の段取りは分かりやすいが、裏の段取りは見落としやすい。裏を見るとは、それをやっている側の立場に立つということである。テレビドラマを見ると、登場人物がいて、ストーリーがあって、いろいろな展開が工夫されている。それが表の段取りだ。裏は脚本の書き込みや稽古、スポンサーへの根回しや他局との駆け引きなどさまざまな要素がある。プロは仕込みの意識がしっかりしているが、素人で勘違いしている人は裏の段取りについて意識がない場合が多い。

モデルになりたいと言ったとき、ファッションショーや撮影など表に出ている仕事ぶりだけを見ると自分にもできるように思うが、モデルの裏の仕事は大変なことが多い。いくつもオーディションを受けて回ったり、待ち時間が多かったり、体型を維持するために食事をコントロールするなど、大変な苦労をしている。

面倒な裏の段取りが見えると、果たして自分に向いている仕事かどうか見極めがつくだろう。実際に仕事をしてみると、必要な力は実は仕込みのほうに多くあることに気づく。裏段取りを意識することも「段取り力」を鍛える絶好のトレーニングになる。

裏段取りが見抜けるようになれば、かなり「段取り力」がついたと言えるだろう。料理の例で言えば、料理の「段取り力」が身についている人は、ある料理が出たとき、どういう段取りで作られたものか、素材まで含めて見通せる。これは本当に職人技が必要な高度な料理なのか、自分にもできる簡単な料理なのかがすぐに分かる。すると、この店にお金を払う価値があるのかないのかまで分かってしまう。本当に優れた料理に出会えれば、食べるほうはわざわざ店に行ったかいがあるし、料理を作るほうも価値が分かる人に食べてもらい、作ったかいがあるというものである。

どの領域にも言えることだが、総じて完成形がシンプルに見えているほうが、裏の仕込みは複雑であることが多い。形をシンプルにしていくためにそぎ落としていくことが多いので、仕込みはその分大変である。

私は『声に出して読みたい日本語』（草思社）という本を出したが、この本はテキストの引用が多く、解説として書く分量は比較的少なかったので、自分で丸々一冊書くより楽だったのではないかと思う人がいる。しかしそれはまったく逆で、自分の言葉だけで書くほうがはるかに楽だった。『声に出して読みたい日本語』では取り上げた60～70のテキストを選ぶために捨てたものが膨大にある。さらにその解説を書くために参考書を何冊も読まなくてはいけなかったし、文章をページの区切りごとに終わらせる、というシンプルな形にまとめあげるために想像を絶する努力を要した。まさに裏段取りに支えられて、あの本は完成したのだ。

9 メイキングビデオは「段取り力」トレーニングに最適

「段取り力」をつけるには、裏の段取りを見通せるかどうかが非常に重要な差になってくる。

裏段取りを見抜くトレーニングとして、メイキングビデオが面白い。映画の作品を作っていくときのプロセスを一つの商品にしたものだ。私はスタジオジブリの『もののけ姫』のメイキングビデオを見たが、膨大なものだ。発想の段階からキャラクターデザイン、色の選択、コピーの作り方など、でき上がりからは想像できないくらい細かい段取りがあって、膨大なエネルギーが注入されていることが分かる。スタジオジブリの場合、その流れがかなり完成されている。行き当たりばったりでなく、大きな流れでしっかり仕上がっていくシステムになっている。

私が面白いと思ったのは、メイキングビデオそのものが商品になって売り出される時代になったということだ。アニメや小説のファンには2通りあって、出てきた現物を純粋に楽しむファンと、それを自分で作る立場になって、準備はどうだったのか、キャラクター作りや声優選びはどうしたのかというような見方で楽しむファンがいる。メイキングビデオを買う層は後者にあたる。

私はそのどちらでもなく、ただああいう質の高いヒット商品が生まれてくる段取りを見て、ものの作り方を学びたいと思ったのだが、メイキングシリーズをうまく使うと裏段取りを見抜く目が養われる。メイキングを見るとき、裏話を知りたいと思ってみるのもいいが、「段取り力」という観点で見てみると、恰好の「段取り力」トレーニングになるだろう。

テレビで放送されていた『料理の鉄人』は、番組自体がメイキングを見せる趣向で成り立っていた。今まで料理は食べるだけで、上手な料理人の作業を見ることはできなかったが、それを素材選びやメニュー作りから調理、盛りつけまですべて見せてもらえた、という意味では非常に現代的な番組だったと言える。料理以外の分野の人も、あの番組からヒントを得た人は多かったのではないだろうか。

今は自分の領域だけをやっていればいいのではなく、作っていく段取りをいろいろ

な分野から吸収し、「段取り力」を練り上げていく時代に来ているのだ。『料理の鉄人』はその象徴だった。

段取りにシフトしてメイキングビデオを見ると、スタジオジブリの宮崎駿とプロデューサーの鈴木敏夫との関係がよく分かる。2人の力がどのように作用したから、この作品がヒットしたのかが見えてくる。ちょうどホンダの本多宗一郎と藤沢武夫との関係にも似ている。

本多宗一郎は自分のアイディアでガンガン社員を引っ張っていき、あまり経営のことを考えなかった。しかし藤沢はひたすら経営のことをきっちりやった。表と裏の段取りがうまくかみ合ったから、世界のホンダになれたのだ。鈴木プロデューサーと宮崎駿監督の関係もそうである。商品として売り出すのは鈴木の仕事、よい作品を作り出すのは宮崎の仕事である。

10 倍率を変えるように物の見方を変えてみる

段取りとは、質的に違うものを組んでいくことだ。だからこの期間は何をやる、それがどこで変わるのか、ということを大きく区切ることができなければ、段取りを組むことができない。質の違いを見分けながら段取りを組むことが「段取り力」には大切だ。

私は授業で、学生に課題を与え段取りを書かせてみるのだが、同じ質が続いているのに、それを違う段取りとしてあげてしまうことがよくある。12個の手順があったとして、4つずつは同じ種類の質であれば、段取りとしては大きく3工程であり、その中に1－1・2・3・4があり、2－1・2・3・4、3－1・2・3・4があるのだが、すべてを1、2、3、4と並列して12個並べてしまう人がいる。まずは全体を3工程だと見抜く力が必要なわけだが、それを12工程だととらえてしまうような人は

「段取り力」は弱いはずだ。

「段取り力」を鍛えるには、望遠鏡や顕微鏡の倍率を変えるように物の見方を変えてみることだ。細かすぎる物はあえて見ないようにすることによって、構造が見えてくる。起こったことを時系列に、ただ並列して12個メモしてしまうのではなく（メモをしないよりはいいが）、4つずつ同質の3工程でできているという構造を見つけられるような発想に切り替える。

倍率を大きくして全体を見渡してみると、場所ややり方がはっきり変わる瞬間が分かる。質的な変化が起きた後と前では明らかに違う。その質的な変化がどこで起きるのかを見越すことが段取りを組むときのコツだ。これが分かれば、その大きな段取りの中では、同じ質の作業をし続ければいいので、楽にできる。見通しもあるので、不安にもならない。

余計なことを考えないのは、仕事が速く上手にできる人の特徴のような気がする。**高度な仕事をしているのにもかかわらず、考え方は実にシンプルなことが多い。自分のやっていることを単純化できるので、無駄な脳のエネルギーを使わない。**しかし、仕事ができない人は、こんなことをやっていても大丈夫なのだろうかといろいろ考え過ぎてしまい、そのことで脳のエネルギーを消費してしまい、ことを成すまでの量的な蓄積ができない。だから仕事が遅い。

根気よく続けて量を蓄積しブレイクスルーする人は、根気がいい性格だったと言うよりは、むしろ見通しのよさに支えられていると言ってもいいだろう。どんな人でも見通しのないことに関して根気は出せない。勉強に根気が出せない人間でも、好きな趣味の分野では恐ろしいくらい根気を見せる。根気強いか否かではなく、それが楽しいか楽しくないかである。楽しい見通しが立てば、根気が続く。

高校野球や高校サッカーではそれがはっきりしている。いい監督がいる学校が一番強い。その監督が違う学校に移れば、そこが県下で一番強い学校になる。なぜかというと、生徒が皆、その監督の段取りを信じているからだ。監督の言う通りにして、ひたすら努力をしていれば、間違いなく甲子園に行ける。だからがんばる。生徒の質以前に、その監督の「段取り力」が優先されているわけだ。それを信じて、努力をするので、いっそうよい循環が生まれてくるのだ。根気や根性、やる気や持続力といったものは、段取りの確信があってこそ加速する。

11 「ずらし重ね」の技

「段取り力」の技の中に「ずらし重ね」の技がある。いい例が、出版でいう日刊、週刊、月刊、季刊、年刊のサイクルだ。これを仕事にあてはめれば、1週間でやる仕事もあるし、月間で毎月やらなければならないものもある。全部が同じ時期に重ならないよう、ずらしながら重ねて段取っていくやり方が「ずらし重ね」だ。

タイムスパンの異なる段取りをうまく回していくわけだが、それぞれの段取りに優劣があるわけではない。友達にも年に1回会うのがほどよい人と、季節に1回くらい会う人と、毎週会う友達がいる。しかし、年に1回の友達は毎週会っている友達より大事ではないかというと、そうでもない。それと同じだ。

私は今、週刊誌の連載を抱えているので、週単位で追われている仕事があるが、それと並行して月刊誌、季刊誌、1年でやる研究、5年でやる研究、10年かけてやる研究にそれぞれ分けて回している。ものによって仕上がるタイムスパンが違うから、ウイスキーの仕込みと同じで、12年ものを作るのであれば早めに仕込まなくてはいけない。やみくもに目の前に現れた仕事をこなしていくのではなく、これはどれくらいのタイムスパンで仕上がるのだから、いつごろから取りかかっていつごろに終えるかという大体の見通しを立てて、それぞれの段取りを重ねていく。それぞれの段取りのずらし方が重要だということだ。

「ずらし重ね」の技を習得するのに、手帳はひじょうに優れた道具だと思う。手帳を見ていると、1日、1週間、1カ月、1年という単位が図形として頭に入ってくる。

私は1週間ごとになっている手帳を使っているので、1週間が基本の単位になる。そこに3色のボールペンで、スケジュールを重要度に応じて色分けしてある。

それを四角で囲うようにしているのだ。四角で囲った中に、やらなければならないことを書き込む。すると「この時間のこのパックが終わればあとは楽」という具合に、ビジュアルに見通しが分かる。非常に便利だ。私は手帳を見る時間が大変長い。電車の中でも、会議の最中でさえ手帳を見ている。それはシミュレーションをしているからだ。手帳を見ているとけっこう精神衛生にいい。追い込まれていても、手帳を見ることで整理できる。もし手帳なしで生活したら、脳が混乱して、ものすごいストレスに陥っていただろう。

最近は電子手帳を持つ人も多いが、仕事に追われている私が、この小さな手帳1冊で用を足せるということは、手帳は意外に原始的なようでも機能的なのだろう。コンパクトだし、書き込めるし、色もつけられる。1週間を色つきで把握し、何度でも見返して、いつも臨戦態勢に意識を持っていくことができるのは、手帳のよさではないだろうか。

手帳の効用はそれだけではない。繰り返し手帳を見ることで、ずらし重ねの技が上達する。1週間の動きはこう、1カ月の課題はこう、1年の課題はこう、という具合にタイムスパンでさまざまな段取りが考えられる。大枠の中で物事を考えながら週単位、月単位、年単位でグレード分けをしていけば、崩れが少ない段取りが組めるようになるだろう。

私の場合、仕事はできるだけ前倒しでやってしまう。たとえば10月でも12月でも出版できる本なら10月に出してしまう。すると11月と12月が活きることになる。もちろん12月までかけて出してもいいのだが、2カ月早く終えることで、新しい現実が生まれるのだ。その本が成功する、あるいは失敗するにしても2カ月早く結果が分かるから、次の仕事に活かすことができる。仕事が高速回転に入っていくのだ。

前倒ししていくとなると、どうしても段取りを上手に組まなければならなくなる。10月に出すために逆算して追い込まれた感じで仕事をやるので、非常に効率的だ。反対に余裕を持った計画はかなり危険だ。下手をすると本が出ないことがある。2カ月ずつのずれがどんどん大きな違いになっていってしまうことがあるのだ。

エピローグ

「段取り力」は領域を超えるものである。何かに秀でた「段取り力」があれば、必ずそれは他のものに応用できる。料理を例にとると、料理の段取りとは素材を集めてくる段階から始まって、片づけまで含んでいる。上手な人は料理が終わったときには片づけまで終わっていることが多い。そういう時間的な順序はもちろん、素材の組み合わせや優先順位、あるいは万一、素材や調味料の一部がなくても、とっさの判断でクリアして最終的な形にする。そうした「段取り力」のいろいろな局面が料理に出てくるのである。

料理が得意な人は、仕事をすべて料理の比喩で見てしまえばいいわけだ。要するに、自分の得意なものの比喩で他のことも見ていけばいい。**自分の得意なスタイルで仕事をするのが一番エネルギーを発揮しやすい形だから、ヴァイタリティが生まれるだろ**

う。好きな領域でも自分のスタイルがつかめないとエネルギーが出し切れないが、得意なもののイメージで向かうと、いつもの自分の得意なスタイルで臨むことができるのでうまくいく。

段取りを組むときに、段取り同士の間に極端な違いがあることはない。世間が思うほど領域ごとの才能に差があるとは、私は思わないのだ。会社経営とスポーツ体験の関連がいい例だ。両者はまったく無関係の領域だが、経営者に聞くとスポーツの体験が自分のバックボーンになっている人が多い。特に山登りはバックボーンになりやすい活動のようだ。何人にも聞いたことがあるが、山に登るには「段取り力」がとても必要だそうである。

日帰りでさえも、時間を設定し自分の力量を推し量って行程を決定する。ましてや泊りがけの登山なら、「段取り力」がないと遭難してしまう。山の何合目まで登るのか。そのために何を準備していかなくてはいけないのか。私だったら山に登り始めてから、あわててテントを買いに行くというようなことをやりかねないが、山登りをやる人は、そういうことのないようにあらかじめきっちり決めて臨むわけである。何しろ命がかかっているから、「段取り力」は鍛えられる。

経験とはそのまま仕事に活きるものだ。誰でも思い当たると思うが、学生のときエネルギーを注ぎ込んでやった活動が後の人生で必ず活きてくる。その経験で根性を養ったという言い方もできるが、そこで「段取り力」を養ったから、今自分はその「段取り力」に助けられていると思うようにすれば、話は精神論だけに陥らない具体性を持ってくる。

気の持ちようも大切だが、どんなにやる気にあふれて前向きになろうとしても、「段取り力」がないと空回りする。そのうちにあまりうまくいかなくて、やる気も失う。やる気とは、段取りがうまく回転することによって増幅してくるものだと私は思う。やる気のあるなしを最初に問うより、「段取り力」をうまくつけていくほうに力を注ぐべきだ。

これは、子どもを教えていれば明らかに分かる。子どもに最初からやる気があればいいのだが、そういう子どもばかりとは限らない。しかしやる気は、教師が段取りを組んで、上手に誘い込んでやれば、どんどん引き出されてくる。やる気とは「段取り力」の中から生まれてくるのだ。

だから自分の中にある「段取り力」に目覚めることが、「段取り力」を技化《わざか》する第

一歩である。自分の中に必ずいい「段取り力」があったはずという確信のもとに探してみる。探すときは「あるかもしれない、でもないかもしれない」と思って探すと、たいがい見つからないが、「必ずある」と思って探すと見つかるものだ。この世の中に「段取り力」のない人はいない。皆、それぞれ生活して、生きているのだから、何らかの「段取り力」が必ずあるはずだ。自分なりのいい「段取り力」は何だろうと、まず考えてみよう。

仕事ではダメだが、趣味の領域になったとき、恐るべき「段取り力」を発揮する人がいる。映画化もされたが『釣りバカ日誌』という漫画に登場する主人公のハマちゃんは会社ではまったく仕事ができない無能のサラリーマンだ。ところが釣りになると恐ろしく手回しがいい。そこで、皆がハマちゃんを頼ってくるというストーリーだ。

自分は全部がだめなのではなく、ある領域においては恐るべき「段取り力」を発揮していることに気づけばいいのだ。「ああ、これも段取り力なんだ」と分かると、自信が出て前向きに取り組めるようになる。自分が得意な「段取り力」を仕事にも応用していけばいいのだ。ハマちゃんなら釣りのイメージを仕事にあてはめていけばいいのである。

自分が得意とする比喩で、無理やりにでも全部を見てしまう。そこに領域を超えて「段取り力」を磨いていくコツがある。

解説　「段取り」がいいと、こんな本が書ける

池上　彰

齋藤さんは、すごい人だ。どうしてあんなに良質で大量の仕事ができるのだろうか。

大学教授だから、大学で授業を持っている。研究室で学生の指導もしなければならない。

なのに、書く本の量が半端じゃない。書く本、書く本、みんなベストセラーになる。

読んで納得の質の高さだ。雑誌の連載も数多くこなしている。

テレビにも出演し、コメンテーターをつとめたり、番組の企画に協力したりしている。

講演会もあまた引き受けている。私も聴いたことがあるけれど、これがまた、滅法面白い。

どうして、こんなに仕事ができるのだろうか。

こんな疑問を持っていたのですが、その仕事の秘訣は、「段取り力」なのだそうです。

この本は、そんな齋藤さんの超人的な仕事ぶりのノウハウを公開しています。

この本を買った、あなた。そのノウハウを公開した本を見つけることができたという

点で、あなたの「段取り力」も、なかなか優れているかも。

　齋藤さんに言わせると、人間の才能や能力には、そんなに差はないというのですね。「ただ段取りのいい人と悪い人がいるだけなのだ」というのです。

　う～む、自分も段取りをよくすれば、いろんなことができそうな気がしてくるではありませんか。読者をそんな気にさせるのは、要するに、この本の出来がいいということで、つまりは齋藤さんの執筆の段取りがいいということなのですが。

　では、齋藤さんの言う段取り力とは、なんでしょうか。それを知りたければ、これを読めばいいのですが、それでは解説になりませんね。う～む、私の段取りが悪い。

　齋藤さんは、誰でも自分の中に段取り力を持っていると断言しています。心強い言葉ですね。要は、それに目覚め、自分に合った段取りのスタイルを見つけるために役に立つのが、この本だというのです。

　段取りというと、いわゆるマニュアルを想起する人もいると思います。誰にでも段取りよく仕事をしてもらえるように組まれた手順が、マニュアルです。このマニュアルを作る力こそが、段取り力なのです。

　マクドナルドやケンタッキーフライドチキンには見事なマニュアルが備わっていますが、このマニュアルを覚えたところで、段取り力がつくわけではありません。こんなに優れたマニュアルを自ら作り出すことができる力こそが、段取り力なのです。マニュアルに接し、マニュアルを実践しながら、マニュアルを作った人の意図を解明できる力が段取り力だというわけです。

いったん段取り力を獲得すれば、さまざまな分野に応用できるのが、この力の良いところです。おいしい料理を手際よく作るのも、優れた論文を短時間で仕上げるのも、要は段取り力なのですから。

段取り力を獲得すれば、それが各方面に応用できるという一例として、著者はトヨタ式生産方法を挙げています。この生産方法を研究することで、文章を書くヒントを見出してしまうのです。

トヨタ自動車は、部品を大量に作っておくという手法をとりません。これは文章を書くときも同じだというのですね。文章を書く準備に力が入りすぎて、山ほど下調べをしたものの、実際にはほとんど役に立たないという人のやり方は、部品を大量に作り置きすることと同じで、トヨタとは対極の愚行だと喝破するのです。

「論文を製品と考えれば、無駄をなくしていく作業は生産的だ。創造的な仕事とは、実は優れた段取りの中から生まれてくるのだ」というわけです。

うーむ、本を書き出す前に資料集めばかりに時間がかかる私には耳が痛い。

それにしても、トヨタ式生産方法から論文作成術を導き出す技は、これこそ齋藤式生産方法ではないか。

この本では、著者の主張を読者に納得してもらうため、具体例が豊富に紹介されています。トヨタ式生産方法ばかりでなく、建築家である安藤忠雄氏の手法やホテルの再建に取り組んだ窪山哲男氏の経験、JRの列車ダイヤ作りの専門家の努力など、どこがどのように段取りが優れているのかを丁寧に説明してくれます。その道の専門家の努力ぶりに感心しているうちに、段取りの良さとはどういうものかを我が物にしていくという構成になっているのです。

この構成の妙こそが、齋藤式の文章作成術なのですね。

さらに、筆が滑った(?)のか、著者は、デートの成功法まで披瀝してくれています。

私がいちばん参考になったのは、本の書き方でした。私はテレビ局を辞め、いまはフリーのライター。毎日毎日、原稿書きに追われています。自分で選んだ道ですから、誰も恨むことはできないのですが、筆が進まないときは、なんて因果な商売だろうと思うこともあります。そんな人のために、齋藤さんは、著作の秘密・秘訣を説明してくれます。なぜ齋藤さんが、あんなにも大量に良質な著作を世に出せるのか、読者は、その理由の一端を知ることができるでしょう。

齋藤さんは、完成した商品を研究することで、その商品が世に出る手順を知ることができ、それが段取り力の養成になると述べています。

この齋藤メソッドを試すには、この本がどのようにして完成していったのか、その過程を過去にさかのぼって推測してみるといいでしょう。齋藤さんが、どこでどのように「三色ボールペン」を駆使してこの本を書いていったか、少しは分かるはずです。この探求を繰り返していくうちに、齋藤式執筆法も身につくかも知れません。

齋藤さんは、こう言って読者を激励します。「カリスマと言われる人も、なんとなくできているのではなく、うまい段取りを組んでいるだけなのだということが分かる。それが分かれば、自分だってカリスマになれるのだ」と。齋藤さんこそ、読者を納得させるカリスマなのですが。

豊富な実例とポイントを押さえた説明。この本を読むあなたは、そんな齋藤さんの段取りの良さに納得させられるでしょう。

実は私は、この原稿を、出張先のエジプト・ギザのホテルで書いています。さっさと日本にいる間に片付けてしまえばよかったのに、砂漠まで仕事を持ち込んだというわけです。窓の外にはピラミッドが見えているというのに。なんという、段取り力のなさ。

そんな私のような読者をも齋藤さんは励まします。「仕事の段取りが悪いと思っている人でも、何か他の段取りがうまいことはある」と。

さて、まずは自分の取り柄を見つけるという段取りをつけることから始めましょうか。

（ジャーナリスト）

ちくま文庫

段取《だんど》り力《りょく》「うまくいく人《ひと》」はここがちがう

二〇〇六年十一月十日　第一刷発行
二〇一九年　八　月十日　第九刷発行

著　者　齋藤孝（さいとう・たかし）
発行者　喜入冬子
発行所　株式会社　筑摩書房
東京都台東区蔵前二―五―三　〒一一一―八七五五
電話番号　〇三―五六八七―二六〇一（代表）

装幀者　安野光雅
印刷所　中央精版印刷株式会社
製本所　中央精版印刷株式会社

ISBN978-4-480-42278-1 C0195